KOCHANIE,
ZABIŁAM NASZE KOTY

„*Koty* — to jest o kotach, będzie pani zachwycona”.

Roy Cohn

DOROTA MASŁOWSKA

KOCHANIE, ZABIŁAM NASZE KOTY

NOIR SUR BLANC

ISBN 978-83-7392-393-5

Rozdział 1

Na ulicy przed domem leżał kot z białym kołnierzykiem, ni to grzejąc się w słońcu, ni to raczej jednak nie żyjąc, wnosząc z faktu, że nie było słońca ani żadnych innych przyczyn, by leżeć wśród pędzących samochodów. W końcu przyjedzie jakiś patrol i go zabierze — pomyślała Farah w tym śnie i poprawiając dół od pidżamy, który wpijał jej się w pachwinę, wróciła do lektury pisma.

Akurat rozwiązywała psychotest i... W waszym życiu też chyba nie zawsze jest miejsce i czas, żeby czytać Sartre'a w oryginale od tyłu do góry nogami? Błądziła po scenografii, zmontowanej niechlujnie z kawałków campusu uniwersyteckiego i fragmentów byłych mieszkań, znajomych klatek schodowych, ulic i innych strzępków przeszłości, kiedy wpadło jej w ręce to „Yogalife".

„O, nowy numer" — pomyślała zdziwiona, bo ostatni wyszedł zaledwie parę dni temu. Przejrzawszy go pobieżnie („Jogomoda", „Medytacja — wybieramy najlepsze gadżety!"), natrafiła na ten test.

„Joga i ty, przyjaciółki czy zaciekłe rywalki", „Czy jesteś sexy joginką?" i tak dalej, sami najlepiej wiecie. Ledwie jednak zakreśliła pierwszą odpowiedź, zauważyła małą różaną karteczkę, zapisaną z wysiloną niedbałością, z wystylizowanym pośpiechem...

„Widuję cię na środowych zajęciach"... — głosił liścik. Dalej czcionka trochę się zmieniała i wszystko było napisane gorącym szeptem, jakby po francusku. F. nie znała francuskiego, ale czuła to dokładnie w uchu i jeszcze dużo, dużo głębiej — „może byśmy spotkali się na kawę, wiesz gdzie... chcę zobaczyć, jak pijesz cappuccino i ta zabawna pianka miesza się ze szminką na brzegu twojej filiżanki, o tak"... „codziennie myślę, żeby wrzucić ci do samochodu bukiet kwiatów i zwiać, po prostu zwiać jak szczeniak, żebyś widziała tylko moje plecy niknące gdzieś w tłumie, plecak podskakujący trochę niezgrabnie, trochę bezbronnie..."

„Ale... ale ja" — mówi Farah, obracając w dłoniach miłosny świstek. To zostawiło ją nieoddychającą. A więc te wszystkie dni, które uważała za puste, nijakie i zmarnowane, dni, które wyrzucały ją jak chorą rybę na brzeg samotnego wieczoru...

Fakt, że nie miała samochodu, jakoś jej chwilowo umknął.

...te wszystkie cholerne dni, na których ścieżkę dźwiękową składały się skowyty czajników i dzwonki mikrofalówek sąsiadów obwieszczające przejście ich mrożonych hamburgerów do kategorii „ohydne, ale nawet ciepłe"; dochodzące zza ścian rozmowy przy obiedzie, przypominające w swym beznamiętnym tembrze kurs językowy, na którym jedna i ta sama lekcja („co tam w szkole?", „podaj mi, na Boga, łopatkę do sera") odtwarzana jest w nieskończoność, z oszczędności czy też może jakby inne słowa i kwestie nie egzystowały w języku tych sennych, przegranych popołudni późnego września...

Dni, które uważała za stracone; dni, kiedy czuła się jak odrobinę gęstsze, angielskojęzyczne powietrze, to właśnie wtedy ktoś cały czas na nią patrzył, śledził, odurzał się jej istnieniem, wariował na jej punkcie i...

„W oczach stoi mi linia szwu na twoich rajstopach... myślę o chwili, kiedy sprawdzę wreszcie, czy to szew, czy po prostu malujesz go na swojej lśniącej od balsamu szklanej łydce pisakiem i czy któregoś dnia będę mógł ją zlizać, aż po..."

„Ale ja nie mam rajstop ze szwem" — uprzytomniła sobie nagle, upuszczając kartkę, która natychmiast zawirowała i wpadła pomiędzy jesienne liście, niedojedzone chickenwingsy, psie gówna i zmięte kubki ze Starbucksa. Skąd czym prędzej wyjął ją Frank, ten gość z kursu jogi, ten, który jej się dość całkiem podobał. Miał na sobie szary, schludny sweter i czyściutki kołnierzyk, jego wspaniałe zęby lśniły jak klawiatura jakiegoś kosztownego instrumentu we wrześniowym słońcu, a wiatr przywiał od niego zapach „Tide 1+1" z wybielaczem bez chloru. To był zapach gry w tenisa i lata spędzonego na wybrzeżu i Farah zdawało się nawet, że słyszy wlekący się za nim jeszcze szum oceanu, piski figlujących dzieci.

— No właśnie. Jak myślisz, czy to spodoba się Joanne?

— Przepraszam...?

— Nie chciałbym, by wzięła mnie za jakiegoś zwyrodnialca... Przepraszam, a jak ty masz właściwie na imię?

— Farah. Ale mów mi Fah — odpowiedziała. Potem gdy leżał już u jej stóp, a szara wełna jego swetra nasiąkała krwią, pomyślała, że to było bardzo głupie, przedstawić się osobie, do której się właśnie strzela; dobrze, że miała na tyle przytomności i nie podała swojego nazwiska.

Przykryła jego zwłoki, cóż, na tyle, na ile się dało, „Yogalife" i unosząc pidżamę, której nogawki już nasiąkały płynącą krwią, poszła w kierunku oceanu, który grzmiał w oddali, odwieczny, bezkresny, rozumny.

Rozdział 2

To był piątek; tej samej nocy Joanne śniło się, że ma stosunek seksualny z dostawcą z BBQueen Grill. Był to mały, nieurodziwy Meksykanin o dzikim spojrzeniu i zniszczonych, na pewno zdolnych do okrucieństwa dłoniach, których dotyku całą sobą się brzydziła, ale i widocznie pragnęła. Bo teraz, gdy gwałcił ją, porzuciwszy w przedpokoju termoizolacyjną torbę z jej ulubionymi skrzydełkami, jednocześnie i stawiała opór, i stawiała go bez przekonania, a w tym samym czasie czerpała z tego wszystkiego, jak to bywa, trudną do zaprzeczenia zmysłową przyjemność.

Nagle usłyszała strzał z pistoletu. To się oczywiście zdarza w tym mieście pełnym świrów; każdy, kto tu mieszka, słysząc strzały, zaczyna momentalnie ziewać, bo zna to na pamięć: ambulans, pulsujące światła, wzruszający ramionami gapiowie i gliniarze, którzy poza rozrzuceniem wszędzie wytłuszczonych papierów po donutach „nie udzielają żadnych informacji".

Joanne odepchnęła swojego kochanka jak wór suchych liści, po czym otworzyła drzwi i...

Dachowiec z białym kołnierzykiem leżał nieruchomo, jakby spał; co za CHORY potwór zastrzelił niewinnego kota? — pomyślała Joanne, wyciągając telefon, by dzwonić po policję. Jednak gdy podeszła bliżej, zrozumiała, że kot kotem, ale jest tam też jakiś człowiek. Przykryty był dość pobieżnie gazetą, a wokół niego rosła kałuża krwi.

Tępo gapiła się na ślady niewielkich okrwawionych stóp, które „wychodziły" z pokoju, ciągnęły się w dół po schodach, po wyjściu z klatki skręcały w Water Street i kierowały na północ, nad ocean.

To oczywiste! — szepnęła, zdumiona swoją przemyślnością. — Zabił go ktoś bez butów!

To odkrycie w pełni zaspokoiło jej świeżo odkryte zdolności detektywistyczne i Joanne ostrożnie podniosła czasopismo z jego twarzy...

Było to, ku jej miłemu zaskoczeniu, nowe „Yogalife"! Czyżby jakiś bonusowy numer?

Otwarte było akurat na quizie psychologicznym, trochę już rozwiązanym, czymś w rodzaju: „Czy joga to całe twoje życie?" czy „Czy jesteś sexy joginką?". Niezwłocznie przysiadła obok zwłok Franka z jogi, tego, co jej się czasem tak dziwnie przyglądał, i oparłszy się o jego wściekle poorany kulami korpus, zaczęła rozwiązywać psychotest z wielką pasją, podczas gdy krew obmywała jej obdziobane szpilki.

Gdy następnego dnia opowiadała o tym śnie w pracy, całkowicie pomijała historię z dostawcą z BBQueen, a z lubością analizowała aspekt kota, zwłok i krwawych śladów stóp. Gremialnie ustalono, że to było „totalnie lynchowskie" i że ktoś powinien na tej podstawie napisać filmowy scenariusz, a Joanne, wracając do domu swoim niedorzecznym fordem pinto, myślała już — chociaż wiadomo, że to jeszcze nic pewnego — jak wyda ten milion dolarów z praw filmowych, tak by wystarczyło na wszystko.

Rozdział 3

Kiedy Farah z Joanne się poznały... Był to kwiecień czy nawet maj, trudno już powiedzieć, choć pewnie można by to stwierdzić na podstawie esemesów... Właściwie z miejsca śmiertelnie się zaprzyjaźniły i przegadały cały wieczór, chodząc dokładnie w tę i z powrotem po Royal Barber Street, nie mogąc zupełnie się rozstać („i sama rozumiesz, ona miała na sobie wtedy taką niebieską sukienkę z weluru, zresztą welur prędko się przeciera", „à propos niebieskiego, jedne niebieskie dresy, w których ostatnio pojechałam na jogę...", „no co ty, ja zawsze na jogę chodzę pieszo", „ja lubię w ogóle chodzić, ale szybkim, sprężystym krokiem, nie zaś powoli", „Mój bratanek jest bardzo powolny. Przysięgam ci, że nie widziałaś bardziej ślamazarnego gówniarza", „Mój bratanek je wszystko z keczupem, możesz to sobie wyobrazić? Zje płatki śniadaniowe z keczupem, jeśli go w porę nie złapiesz za rękę!"). A ilekroć zdawało się już, że tematy się skończyły, i że nie ma już nic, co można by dodać, a wręcz znalazłoby się wiele, co bez szkody można by ująć, to zawsze jeszcze coś którejś się przypominało („Niestety keczup jest TOTALNIE rakotwórczy".

„Jeśli o to chodzi, moja ciocia Albie ma raka kości". „O mój Boże, biedaczka. To na pewno boli!", „Na szczęście jest religijna. Badania mówią, że religijni lepiej tolerują ból. Może żelu antybakteryjnego?", „Dzięki, troszeczkę. Chociaż żal mi bakterii. To żywe stworzenia. Wiem, czasem brzmię jak nawiedzona". „Nie, dlaczego? Masz prawo tak myśleć", „To przez ten buddyzm — kompletnie zmienił mój punkt widzenia".) i nic nie wskazywało, że sprawy przybiorą kiedykolwiek taki obrót.

Wieczorne miasto kotłowało się w swojej niecce niby czarna zupa, garnirowana szkłem i światłem, targana bulgotami tajemnic i występku; szczekały psy, zawodziło metro, ktoś, kogo gwałcono lub po prostu wyrywano mu torebkę, krzyczał okropnie w dali i sztuczne ognie tryskały w ciemność nad rzeką, obiecując, że może zdarzyć się jeszcze wszystko.

Och, trzeba by wiedzieć, jak Joanne obiektywnie wyglądała, wtedy samemu można przyjąć dopiero paradoks tej sytuacji. Zresztą mogliście ją nieraz widzieć, bo pracowała w zakładzie fryzjerskim przy metrze przy Bohemian Street, tam przy Chase. Na pewno przemknęła wam jej twarz o bardzo mięsnych ustach i policzkach jak porzeczki, alabastrowa, sklepiona jak u lalki i tak też wymalowana, pełna sterczących rzęs i wywracanych wymownie oczu, z włosami koloru sztucznych kasztanów doprowadzonymi za pomocą lakieru do perfekcyjnej odporności na najsilniejsze warunki pogodowe. Ubierała się zawsze według sobie tylko znanego klucza, coś jakby „i wygodnie, i brzydko, i z nutą ekstrawagancji", maskując swoje atuty pod nadmiernymi ekspozycjami nie tego, co trzeba. Stroniła od bawełny, dżinsu i innych przejawów tekstylnego banału, szczególną estymą darząc kreacje efektowne, których operowe koronki puszyły się na jej sporym biuście niby piana gaśnicza; ich niecodzienność zwykła „przełamywać" a to klasyczną elegancją, a to motywami sportowymi, koniec końców i tak prezentując się jak Rosjanka wracająca codziennie przez cały rok z sylwestra.

Nie, Joanne nie była z całą pewnością bardzo atrakcyjna.

Tak uważała Fah i uważała też, że jest to niestety opinia obiektywna. Jo miała cienkie nogi i zawsze złachane szpilki na oskubanych, zdecentrowanych, zezujących jakby obcasach, które notorycznie podmalowywała lakierem do paznokci; ta niestabilna konstrukcja nośna gięła się niemal pod masywnym korpusem. Głowa jej tkwiła bezpośrednio w ramionach, jakby Stwórca na jej osobie chciał się był upewnić, czy wynalazek taki jak szyja nie był przypadkiem kompletnym zbytkiem.

Jeśli chcieć więc to tak rozpatrywać, zdaje się, że nie był.

Miała niski głos i śmiech, jaki zazwyczaj słyszy się bladym świtem w knajpach, gdzie zawodnicy sumo świętują swoje zwycięstwa wespół z seryjnymi mordercami, podczas gdy po ramionach tych ostatnich pełzną w górę w sekretnych mozołach gołe baby z zezem i grubo ciosane smoki.

Niczym się nie interesowała i było jej z tym dobrze, słuchała najbardziej obmierzłych, oklepanych piosenek i nuciła je fałszywie, strzygąc swoje klientki; nie umiała gotować i oglądała w telewizji wszystko jak leci, nie przebierając, czy to *Powiększenie*, czy dokument o godach antylop, czy program o życiu osób ćwiczących na orbitreku; w niepoważaniu miała tytuły, reżyserów, końce i początki filmów, przyjmując telewizję jako rwący strumień mary, w której ochoczo bez ładu i składu się pluskała. Wreszcie: rzadko kiedy używała żelu antybakteryjnego.

— Jo, chcesz trochę? — mówiła Fah.

— Nie, dzięki.

— Ale to żel antybakteryjny.

— Aha... Nie nie, to dziękuję.

— Jo?

— Wysusza mi to ręce!

— Trzeba tego używać.

— To żywe stworzenia, Fah.

— Jo?! Widziałaś tego faceta, który trzymał poręcz, zanim wsiadłyśmy do wagonu?!

(To nie był ktoś myjący ręce po sikaniu. Czy Jo była ślepa? To nie był nawet ktoś, kto do sikania rozpina spodnie).

— No dobrze, może odrobinę.

W dodatku nie miała nigdy na nic czasu, bo oprócz tego salonu na Bohemian wciąż bezskutecznie miotała się między zupełnie nieodpowiednimi facetami. Mnóstwo jej uwagi pochłaniało zastawianie miłosnych sideł, zapraszanie do znajomych na Facebooku, zdobywanie adresów i numerów telefonów, wysyłanie ryzykownych esemesów, perfekcyjne projektowanie przypadków, w ramach których wpadała potem na aktualny obiekt swych uczuć z kubkiem wrzącej kawy, oblewając głównie siebie, by summa summarum najwięcej godzin trawić na kurowanie oparzonego serca whisky na skałach i sklejanie go na kit wielkich muffinów z tęczową posypką, które kupowała w delikatesach Lores...

Tak, chyba marzyła o miłości.

Chociaż twierdziła, że jest zupełnie odwrotnie. „Obiecaj mi coś, Fah" — powiedziała któregoś dnia, gdy poszły na kawę do tego kompletnie trendowego Bad Berry, gdzie jak dzień długi wysiadują rozmaite dziwadła, manifestując światu swą wyjątkowość, której trzpień, jak się potem okazuje, zlokalizowany jest w oprawkach od okularów... Kawa jak to kawa: smakowo była wcale bez rewelacji i Fah pomyślała, że chyba oszalała, żeby płacić osiem dolarów za zwykłą kawę. Za szybą rozciągał się widok na opalizujące w upale, zakurzone Bath, pełne rozgardiaszu i popołudniowego ożywienia, matek z dzieciakami i wymiętych hipsterek w czapkach do wspinaczki górskiej mimo upału, z torebkami przypominającymi stare moszny. „Obiecaj mi coś, Fah — powiedziała Joanne. — Nie będziemy miały już nigdy żadnych chromolonych chłopaków, okej? Żadnych chłopaków, żadnych skarpet, żadnego chrobotu drapania się po jajkach w bezsenne noce. Obiecaj mi to. Śmierć frajerom!"

„Zresztą szczerze mówiąc, myślę, czy nie jestem lesbijką. Na dłuższą metę, jak się zastanowić, to coś w tym jest, nie myślisz?"

„Co tak zamilkłaś? Nie myślałaś nigdy o byciu lesbijką? Moim zdaniem to jest okropnie sexy".

Czy jest sens w ogóle mówić, co było dalej? Niemalże od razu po tych deklaracjach, których nie Farah była przecież pomysłodawczynią, w Joanne zakochał się żałosny, tak, w opinii Fah żałosny, sprzedawca ze sklepu z armaturą, podobno absolwent hungarystyki, niemogący znaleźć pracy w zawodzie, znamy te gadki. Typ wychudłego, wiecznie zaplątanego w pajęczynie własnych kończyn gościa, w dodatku z małą błyszczącą łysinką, którą obsesyjnie krył pod szczwanymi zaczeskami. Łysinka zaś, wbrew jego staraniom, niesforna i ciekawska, na swój sposób inteligentna, raz po raz wychylała się jak żądne wrażeń jajo spośród puszystego, choć rzadkiego sianka włosów, rzucając na prawo i lewo pogodne bliki.

Już nie mówiąc nic o wiadomej, danej sobie zaledwie bardzo niedawno przysiędze, której nomen omen nie Fah była pomysłodawczynią... ale w ogóle... ta łysinka... można było się załamać. Joanne była oczywiście zachwycona i podkręcała głośność, ilekroć w radiu leciała ta kretyńska reklama centrum armatury Tip-tap, w którym pracował („Krany na Tip-tap, kupujcie krany na Tip-tap"), i kazała jej wszystkim słuchać, kompletnie się przy tym rozanielając. Ale Fah uważała to wszystko za degustujące już na poziomie ich randek, uważała za obrzydliwe, że ten tasiemiec spekuluje choćby i marzy sobie na temat fizyczności jej przyjaciółki, że ściskając w kinie czubki jej dłoni, wodząc palcami po jej liniach papilarnych, obraca choć w głowie myśl o pruciu jej ciała swoim... Kilka razy, podczas jakichś przypadkowych spotkań, poczuła zapach jego ciała. Pachniał jak kozioł, który właśnie umył zęby. Ale i tak najbardziej bolało i zawstydzało ją to, że podczas gdy on leci na Jo, to ona, Fah, jakby nie istniała, jakby była z powietrza.

Zresztą jak dla niej, on też nie był wykonany z niczego innego.

Chciała, żeby to wszystko było nieprawdą; żeby okazało się, że Jo zapodziała gdzieś soczewki kontaktowe, ale jak tylko dostanie pensję, ooo, wtedy kupi świeże, zobaczy prawdę i wszystko wróci do normy. Będą znowu chodzić na kawę, chichocząc na widok tych superprzystojniaków wychodzących z Chase w swetrach Bossa, upychających po kieszeniach tysiącdolarówki na drobne wydatki... Na których zaraz za rogiem czekał w kabriolecie charakterystyczny typ ważących dwadzieścia kilo wolnych od zmory defekacji dziewczyn z diastemą, w beżowych mokasynach, sukienkach z brzoskwiniowego papieru i futerkach z zarodków świnki morskiej, odżywiających się wodą Perrier i zapachem czekolady...

— O rany, nie sądzisz, że ona ma na imię Chloe? — pytała, wzdychając, Jo, mimo nowych soczewek wybałuszając oczy w sposób niemający wiele wspólnego z dyskrecją. — Nie mogłabym nigdy być taka chuda.

— Dlaczego? Mogłabyś.

— Za bardzo kocham skrzydełka z BBQueen Grill. No i Daimsy. Daimsy są lepsze niż orgazm.

Napad kaszlu ze strony Fah Jo wzięła widocznie za zachętę do rozwinięcia tematu, bo zaraz dodała:

— Uwielbiam orgazm.

I jeszcze:

— To takie uczucie ogarniającej człowieka kompletnej niemożliwości. Niemożliwości niczego! — Hej, Farah, co o tym sądzisz?

Niemożliwością było, że Joanne to mówi! Tak jakby chciała dodać: „Och, ale co ty o tym możesz wiedzieć" albo „Od dziś będę używać tylko porównań i odniesień do rzeczy, o których ty nie możesz mieć pojęcia" albo po prostu „Ale skąd miałabyś o tym wiedzieć, przecież ty nie... o, spójrz tam!", „Gdzie?", „Za późno, Farah, za późno. A leciał śliczny ptaszek!"

Niemożliwy to był hungarysta, niemożliwe było lśniące jajo jego czaszki, które Fah śniło się po nocach. Śniło jej się, że Jo obsypuje je pieczątkami rozkosznych całusków.

Od tej pory bojkotowała go, jak mogła. Polemizowała z jego poglądami, choćby mówił „to jest chodnik", wskazując na chodnik; programowo nie śmiała się z jego dowcipów, do wymiotów doprowadzała ją atencja, z jaką obskakiwał Jo, wygibasy, które czynił, podając jej marynarkę, jakby otulał ją właśnie ściągniętym z nieba, nieco przesiąkniętym zapachem smażenia obłoczkiem, i to, że pożyczał na powrotne metro. Wymownie unosiła brwi i w milczeniu przyglądała się tym dwojgu, którzy doprawdy wyglądali w jej oczach jak niepełnowartościowy plemnik nadskakujący jaju.

Cóż, Bóg jej świadkiem, że starała się zachować poprawną relację, nawet gdy Jo przestała traktować poważnie ich spotkania. Miały włóczyć się całe popołudnie po mallu, na sposób, na który kochały to robić; mogły tak bez końca. Oglądały maty w sieci Yogamart, a potem wymarzone kalosze Jo, na które kasę notorycznie przepuszczała, by koniec końców zamknąć się w przymierzalni dla niepełnosprawnych w H'n'Mie, do której można wejść w dwie osoby i całymi kwadransami piszczeć, szeptać i mierzyć te obłędne jednorazowe sweterki z błyszczącą nitką, które po jednym praniu zamieniają się w zestaw bardzo długich, nadal błyszczących rękawów, którymi świetnie można się potem obwijać dookoła albo używać ich jako skakanki czy też holu do samochodu, czy też...

(„Kochanie, co myślisz o tym?", „O mój Boże, nie bierz jej. Optycznie poszerza", „Jest piękna!", „Jest wstrętna", „Naprawdę?", „Jasne kolory optycznie poszerzają, ciemne powężają", „To samo drobne wzory", „Moja mama miała sukienkę w drobny rzucik w dniu, w którym się urodziłam", „Ja urodziłam się o trzeciej w nocy. Dlatego mogę teraz siedzieć do późna i nic". „Ja budzę się rano, choćby nie wiadomo co", „Zapomnij. Ja siedzę do późna, a rano jestem całkiem od rzeczy". „Ja rano wstaję", „Ja to rano wypijam morze kawy, a potem cała się trzęsę. Gdyby nie medytacja, byłabym kłębkiem nerwów". „Chcesz żelu?" „Dzięki, może później").

Mogły tak trajkotać do wieczora, kiedy wykończone, z kubkami decafu na odtłuszczonym i torbami pełnymi zakupów rozstawały się przy metrze. Ale to kiedyś. Teraz kilka godzin wcześniej, nim to się stało, dzwonił telefon.

— Naprawdę cenię, że miałyśmy razem wyjść — mówiła beztrosko Joanne — jednak wychodzę dziś z...

— Aha. — Dobrze, że Fah umiała ukryć swoje rozczarowanie za pomocą długiej znaczącej pauzy, wachlując się torebką sproszkowanych glonów. — No cóż, i tak mam mnóstwo roboty. Poza tym jest obrzydliwe gorąco. Kino to w taką pogodę...

— Wiem, o czym mówisz. Na szczęście w IMAXIE jest klimatyzacja.

— Jo, z całym szacunkiem. Wiesz dobrze, ile syfu lata w klimatyzowanych pomieszczeniach. I te wykładziny... Ohyda. Dają brudnymi skarpetami!

— Co poradzę, że mamy pieprzoną ochotę na kino? Ciemność, cola, popcorn...

Głucha cisza.

— Fah?

— Przepraszam cię, Jo, zamyśliłam się.

— Mogłabyś przecież...

— Nie, nie, to wykluczone, wzięłam całą dokumentację do domu.

— Cóż, jak wolisz.

— Jestem zakochana w tym pomyśle, ale mam mnóstwo pracy.

— W takim razie nie namawiam.

— Chętnie bym z tobą... z wami poszła, ale sama rozumiesz.

— Nawet może lepiej: dawno nie byliśmy nigdzie tylko we dwoje.

Ale skoro już tak nalegali... Ostatecznie poszła z nimi na wieczorny seans do IMAXU, nie chciała nikogo zawieść. Głupie wymówki to akurat specjalność kogoś innego. W dziwnych, przytłumionych mlaskaniach i przyspieszonych oddechach dochodzących z nieodległej ciemności nie podejrzewała ani wkładania języka do ucha, ani międlenia palcem w wargach sromowych Joanne, nie do końca zresztą słusznie. Zdezynfekowawszy gruntownie dłonie, z ponurą rzetelnością śledziła film, jeden z tych niezrozumiałych europejskich smętów, w których wszyscy tak długo na siebie patrzą, by na koniec powiedzieć nagle „rozkosz", podczas gdy kamera śledzi już latającą siatkę. Co gorsza, sama się uparła, by na niego poszli zamiast na *Naprawdę szklaną pułapkę 134* czy ten kolejny sequel *Śmiertelnej biegunki*, im i tak było wszystko jedno.

Teraz mściwie obmyślała, co im odpowie, jeśli będą próbowali od niej się wywiedzieć, co się wydarzyło, gdy zabawiali się w najlepsze strzelaniem sobie gumką od majtek.

Najgorsze było, że wcale jej o to potem nawet nie spytali. Dla Farah na mizerną osłodę tego koszmaru zostawało tylko liczenie kalorii (oraz bakterii), które Jo na jej oczach pochłania potem z colą (nieumytymi rękami), podwójną whisky na skałach i olbrzymim gyrosem (będąc wegetarianką!), i to o wieczornej porze, gdy potem tego wcale już nie spali.

— Jeśli o mnie chodzi — mówiła z pełnymi ustami — to przejadamy właśnie moje wymarzone huntery w odcieniu navy. Ja jem chyba podeszwę a ty?

— Ja jem wkładkę — powiedział hungarysta.

— Jo, nie śmiej się — wybuchła Fah — jedzenie po osiemnastej to jedna z większych przyczyn otyłości.

— Ale nie kaloszy.

— Właśnie, one ponoć są zdrowe.

— Mają dużo witaminy kalcium.

— I witaminy LO.

— I są nisko-kalo-ryczne.

— Niskokaloszoryczne!

— Witamina LO uszkadza chyba mózg — mogła powiedzieć zachichrującej się ze swoich czerstwiutkich żartów Joanne. Albo po prostu rozwalić gyrosa hungaryście na tandetnej koszuli w palmy, w której rozchełstanym dekolcie wiły się rzadkie, ciemne pierścionki włosów. Ale wtedy tylko odwróciła wzrok. To był sam w sobie ordynarny barek, w dodatku śmiali się cały czas głośno, zwracając na siebie uwagę. Wrzucali monety do szafy grającej i śpiewali fałszywie przeboje tej grubej jak beczka Beyoncé. W samochodzie, w którym Fah posadzili oczywiście z tyłu, widziała jego palec sunący do góry po łydce Jo. „Pojedźmy nad ocean... — szeptał („...jak tylko zastawię moje słuchawki do walkmana" — dopowiedziała w myślach Farah) — kiedy tylko będziesz chciała, Jo".

„Nie zapomnij oczu!" — tak mogła jej powiedzieć wtedy Fah, gdy wysiadała sama w Bath, a oni odjeżdżali w noc, pełną pocałunków, pieszczot i likieru rozlewającego się na spraną pościel w Snoopiego. — „Wbrew pozorom czasem się przydają!"

Jednak ta uszczypliwość przyszła jej do głowy dopiero później, po wielu godzinach obsesyjnego rozpamiętywania ich rozślinienia, niesmacznych gestów, ciągłych ocierań, miętoszeń, przylegań, macanek, figli, które czynili jakby celowo, jakby chcieli jej powiedzieć „nie obraź się, ale to cię nie dotyczy, Fah".

I tak trawiąc czas na obmyślanie ciętych ripost, niby to neutralnych uwag misternie nasączonych jadem, tym błyskotliwszych, im bardziej miała ich nigdy nie wygłosić, przeoczyła, kiedy w Joanne, w jej personalnym odczynie, zaszła ta trudna do pominięcia zmiana.

To było coś takiego... Tak jakby letnie noce spędzone ze sprzedawcą-hungarystą w małym, niegustownym, wyłożonym boazerią mieszkanku, które Jo wynajmowała nad rzeką... jakby te noce, podczas których jej krzyki wypadały z okien z jednej strony na podwórko, a z drugiej na Water Street i tłukły się o asfalt i ściany sąsiednich budynków jak wyrzucane kwiaty doniczkowe, wydrylowały ją, wydrążyły do czysta z dawnej zawartości.

Jakby usta, dłonie i żądło tego umiarkowanie pociągającego mężczyzny, który robił w tym całym obrzędzie raczej za statystę, trzecioplanowego ministranta raczej niż kapłana, wyegzorcyzmowały z niej dawną Jo, niepewną siebie, latającą świńskim truchtem na zezujących obcasach za jakimiś dupkami. Po czym nadziały jej wnętrze zupełnie inną substancją, powidłami o wielkiej słodyczy, odżywczości i niebotycznej kaloryczności (kaloszoryczności) (HA HA HA!).

Teraz bardziej wywracała oczami, używała tłustej, czerwonej jak flaga szminki, formowała włosy prostownicą, by wyglądały jak sztuczne, i każdego ranka, wysmarowawszy wpierw nogi nawilżającym balsamem, aż lśniły jak szkło, ciągnęła pisakiem przez całą ich długość aż pod pośladki, tak by pod odpowiednio cienkimi rajstopami wyglądało to jak szew.

Aura erotycznego łakomstwa, zaspokajanego bez ładu i składu, która biła od Joanne, ściągała na nią spojrzenia, które Farah przypisywała początkowo śmiesznemu strojowi przyjaciółki, ale każdy, kto znalazł się obok, wiedział, jakiej natury jest pole elektromagnetyczne, które powstaje wszędzie, gdzie wchodzi. Sprzedawcy odkładali na chwilę trzymane terminale, bariści zatrzymywali ekspresy, sprzedawcy ubezpieczeń upuszczali polisy i pozwalali, by wiatr porywał je i niósł nad miastem niewypełnione, niepodpisane i nieprzynoszące zysku, a ona stała, pachnąc słodko potem, kebabem, szminką, kilkoma różnymi perfumami, którymi spryskała się pośpiesznie w Sephorze, lakierem do włosów i gorącą miłością z nieodłączną, jak to bywa, nutką moczu.

Zresztą, na Boga, odczepmy się już od Jo. To bardzo, w gruncie rzeczy, sympatyczna, psychicznie silna i do rany przyłóż dziewczyna i źle byłoby, byście widzieli ją wyłącznie przez pryzmat jej erotycznego magnetyzmu. Jo lubi żartować; ma fajny ochrypły śmiech; kto się zna na strzyżeniu, ten wie, że ona robi swoją robotę świetnie. Ale nawet ten przystojny Frank z jogi, a po czyściutkich ciuchach, zdrowej cerze można było liczyć z jego strony na odrobinę gustu, wodził za nią wzrokiem, gdy kiedyś podjechała pod szkołę jogi swoim idiotycznym fordem pinto i wysiadła, by wyjąć zza wycieraczki liście.

(Choć niewykluczone, że była to zwykła konsternacja. Jo miała na sobie kowbojki i tę przyciasną sukienkę w poszerzający marynistyczny deseń, który pętał jej spory biust i pupę plątaniną róż, kotwic i łańcuchów. Wyglądała w niej jak ciasno zapeklowana, opatrzona nogami szynka).

W ciszy, w coraz rzadszych spotkaniach i kurtuazyjnych telefonach, rosła między nimi jakaś zadra. Asymetria priorytetów, zapatrywań na życie, konwencji estetycznych, stosunku do życia. To, co podobne, gdzieś znikło, pochowało się po kątach przed tym, co nie było już o takie „po prostu różne", lecz totalnie przeciwstawne, niemożliwe do pogodzenia, a wręcz kompletnie się wykluczające. Kulminacja tej sytuacji odbyła się podczas rozmowy telefonicznej, która zmieniła wszystko.

— Nie wpadnę na jogę. Marnie się czuję — powiedziała Jo, choć w jej głosie słychać było ekscytację.

— Może to pasożyty? — zaproponowała Fah, czując, że to wcale nie one. — Jeden mongolski lekarz przyjmuje ponoć na Royal Barber... Wszystkie dziewczyny ode mnie z agencji tam chodzą. Podobno bada cię za pomocą czegoś, co wygląda jak kijek do nart. Pomyślałam „Może to po prostu jest kijek do nart, Ingeborg". Ale nie chciałam jej tego mówić. Wydała dwieście dolarów na jakąś turborynienkę i kolejne sto na...

— To nie to, po prostu martwię się, że mogliśmy... — powiedziała Jo. — No wiesz...

— O czym ty, do cholery, mówisz? — szepnęła Fah. — To znaczy co? — dodała głośniej, pozorując wielką swobodę, i dodała jeszcze: — He, he, gdyby ktoś miał wątpliwości, czy jest bardzo swobodna, czy po prostu swobodna.

Jo mlasnęła beztrosko i słychać było, jak zakręca słoik masła orzechowego.

— Nie wiem, czy nie jestem...

— Słucham???

— Ostatnio parę razy zapomniałam o tabletce. To znaczy przypominało mi się, ale było już późno w nocy.

Fah nie słyszała, co Jo mówiła dalej: była tak zszokowana, że by dodać sobie czasu, zaczęła szeleścić przy słuchawce stronicami złapanego ze stołu „Yogalife", a potem poszarpawszy trochę kabel, powtarzając jednocześnie: — Jo, coś słabo cię słyszę! Hej, to jakieś zakłócenia! — odłożyła słuchawkę, dla spotęgowania efektu wyłączyła telefon i na dobrą chwilę zajęła się drżeniem.

Fakt, że oni... oni... ze sobą...

Gdy tymczasem ona...

Oczywiście podejrzewała to, cóż, mogła się spodziewać! Jednak dopiero teraz dotarło to do niej wyraziście i klarownie, z bolesnym plaskiem, jakby ktoś wymierzył jej policzek. Nie potrafiła jeszcze powiedzieć tego jasno, nie potrafiła podać przyczyn, jednak czuła, że poniosła klęskę na całej linii, a raczej, że...

Najbardziej perfidne było, że nie miała nawet racjonalnych argumentów, odpowiednich słów... Czego więcej mogłam się spodziewać? — pytała tylko głucho, paląc, a raczej dramatycznie nosząc po mieszkaniu papierosa, który leżał w kredensie, kiedy się tu wprowadziła. Swoje wzburzenie przypisywała trosce. Joanne była kompletnie nierozsądna, ta mała wpędzi się raz w tarapaty. „Czy robiłaś test na Hi...?" — nie, nie, nie, zaraz skasowała tego esemesa, pilnuj się, Fah! Nie ma przecież prawa powiedzieć szczerze, co o tym myśli; może co najwyżej cedzić te frazesy: „Wszystko będzie dobrze, Jo", „Głowa do góry" etc.

Zwłaszcza że on wyraźnie podbechtuje ją przeciwko Farah, każdy jej gest odczytuje na opak! Widziała sposób, w jaki na nią patrzy, jakby myślał: „Wyciągnij no jeszcze raz ten żel, to osobiście odwiozę cię do czubków!"

Zresztą nie o to chodziło, nie chodziło nawet, że Joanne to robi!

Perfidne było, że robi to, kiedy nie robi tego Farah!

Nawet jeśli to brzmi absurdalnie!

Bolało ją to, zwłaszcza że w ostatnim „Yogalife" był ogromny tekst o zdrowotnych aspektach kopulacji (dotlenienie, przywrócenie równowagi energetycznej, spalanie kalorii). I to właśnie ta niedbała, niezdolna do systematyczności Joanne nagle czerpała z dobrodziejstw seksu wszystko to, do czego Farah dochodziła drobnymi syzyfowymi wysiłkami.

Teraz dosłownie słyszała te ich podśmiechujki, w których Jo nie poczuwała się do żadnej lojalności! Nawet jeśli nie mieli nic złego na myśli — tak by pewnie próbowali to teraz tłumaczyć, „ta biedna mała już wariuje, powinna sobie wreszcie kogoś znaleźć...", dosłownie słyszała to, jakby mówili to przy niej, nie zdając sobie sprawy z jej obecności, i wyobrażała sobie, jak orientują się nagle, że stoi w drzwiach...

Mówią jeszcze: to nie tak, Farah, zaczekaj! Nic złego nie mieliśmy na myśli!, ale ona wybiega już, zagryzając z bólu wargi do krwi... Leje deszcz, przechodnie w pelerynach rozstępują się, gdy biegnie ulicą, krztusząc się, wyjąc z bólu, zdradzona, oszukana, nieuprawiająca seksu!

Może to tą właśnie dramatyczną wizją inspirowała się nieco, jeszcze tego samego wieczoru, zamawiając na E-bayu kalosze Hunter w odcieniu navy — dokładnie takie, o jakich marzyła Jo, ale nigdy nie mogła uzbierać na nie dość kasy.

Oraz wygrzebując z szafki z medykamentami swoje tabletki antykoncepcyjne, które dwa lata temu brała na trądzik. Teraz już zawsze dbała, by w kluczowych momentach wyślizgiwały się z jej torebki na falach buteleczek żelów antybakteryjnych. Mogła wtedy wpychać je z powrotem z tym charakterystycznym zniecierpliwieniem, z jakim dzieci strofują wyimaginowanych przyjaciół.

Teraz spojrzała na trzymanego w palcach papierosa i poczuła dość niespodziane, ale nieodparte pragnienie wygaszenia go na sobie, na własnej dłoni. Nagłe pragnienie fizycznego bólu, w którym wszystko to mogłoby się wypalić, rozpuścić, było tak dojmujące, że się przeraziła. Szarpnęła taflę okna i obserwowała, jak papieros, paląc się jeszcze, leci w pełną świateł i pędzących taksówek wielkomiejską noc. Wirując, spada w dół, w dół, dół, razem z jej złudzeniami, uczuciami i wszystkim.

Jak maleńka płonąca baletnica.

Jak odłamek stłuczonej przez chuliganów betlejemskiej gwiazdki.

Rozdział 4

To zresztą takie typowe, bardzo często tak się zdarza.

Zupełnie inaczej niż mężczyźni, ci rozmiłowani w rozgrywkach, konkursach, we wszelkiego typu „ja mam bardziej" wojownicy, kobiety uwielbiają uciąć sobie partyjkę w „mam tak samo". Wpadłszy na siebie, dniami i nocami potrafią rozprawiać i zapewniać się w bliźniaczym podobieństwie doświadczeń i przeżyć; nawet ich fizjologia gustuje w siostrzyńskich przymierzach, synchronizując im cykle miesięczne. Wtedy popijają smakowe kawki i dziwują się w nieskończoność cudownej paralelności swoich traum, gustów kinowych i ulubionych jedzeń; chcą podzielić sprawiedliwie między siebie swoje klęski, swoje triumfy, swoje spirale. „Jeśli mnie lubisz, masz tak samo" — deklarują sobie w tej niemej przysiędze dozgonnej empatio-symetrii. Naciągają fakty, adiustują detale, przemilczają różnice, przycinają wspomnienia, mówią jednym językiem, by po paru tygodniach preparowania wszelkich dowodów na swoją bliźniaczość same w nią uwierzyć.

We dwie raźniej!

Ale niech raz która kiedyś powie: „mam zupełnie inaczej" albo „ja to nie lubię koziego sera". Niech podniesie rękę na tę słodką symbiozę, idylliczną, pachnącą pudrem i gumą Orbit programową jedność. Przerwie korowód empatii, odedrze od siebie siostrę syjamską jak nieważny kupon. Niech któraś nagle wyjdzie za mąż, a druga zostanie panną, niech jedna zacznie głosować na ugrupowanie prawicowe, choć druga deklaruje liberalizm, ta misterna, lecz chwiejna konstrukcja wpada w złowrogi dygot, by często w ciągu paru chwil złożyć się jak domek z kart, jedno szczęście, że nikt w nim nigdy nie mieszkał.

„Whoops, fałszywy alarm:)" — napisała niedługo potem Jo w esemesie. Ale Farah prychnęła tylko pusto. Trochę czekała na ten moment, który musiał nadejść, na zaproszenie, na próbę kontaktu, której mściwie mogłaby odmówić, odsunąć ją od siebie z odrazą, jak kiedyś ubóstwianą potrawę, na którą teraz NIE MA JUŻ OCHOTY. I ta chwila teraz nadeszła.

Choć dostarczyła jej znacznie mniej rozkoszy, niż się spodziewała. To właśnie wtedy zaczęły dopadać ją te zwały, te góry samotności. Ten nieprzebrany sezam pustki, z którego wyciągała szare klejnoty druzgocącej samotności, kolie zawiesistej ciszy, bele matowych godzin.

Wracała z pracy, rzucając na stół smutny styropian z posiłkiem. Biofasolka, która jeszcze chwilę temu za szybą lodówki w delikatesach Lores wyglądała całkiem przekonująco, kupiona i niesiona przez Farah do mieszkania, niepostrzeżenie stygła, wiotczała i butwiała, tak by po otwarciu okazywać się apatycznym kleksem brei o smaku masy Play-Doh. Organiczne posiłki, których opakowania przedstawiały soczyste piersi szczęśliwych kurczaków i barwne bukiety jarzyn bez azotanów, po odgrzaniu okazywały się parującą ilustracją do tego powiedzenia, że ktoś chce „zjeść ciastko i mieć ciastko": wyglądały dokładnie, jakby ktoś je już zjadł i jakby mimo to ciągle leżały na talerzu, na domiar złego Farah wcale ich nie chciała.

Przynosiła zakupy. Wynosiła śmieci. Przez popsutą żaluzję wpadało słońce wściekle żółte od oparów z indyjskiej restauracji. Istniała możliwość, że powoli zamienia się w curry, ale w pracy nawet nie była z nikim blisko na tyle, żeby jej wprost powiedział, kiedy to już się stanie. Jeśli chodzi o jogę, to...

— Hej... przepraszam, jak właściwie masz na imię? — powiedział do niej w którąś środę Frank, ten, co jej się tak podobał.

— Farah — powiedziała Farah. — Ale mów mi Fah.

Próbowała się uśmiechnąć, ale stanęło jej w oczach, jak przykrywa jego twarz „Yogalife".

— Śniłaś mi się w... w dziwny sposób.

— Naprawdę? — powiedziała Fah, zalewając się rumieńcem.

— Nie tak, jak myślisz... to znaczy...

— Nie krępuj się. Mi też śnią się czasem niewiarygodne bzdury.

— Nie, nie, to nie...

— Może to pełnia?

Zapanowało między nimi jakieś nieprzyjemne napięcie.

— À propos: twoja przyjaciółka...?

— Tak?

— Ta... jak jej na imię?

— Nie wiem, o której mówisz.

— Wydaje mi się, że przychodziłaś tu z...

— Joanne? — poddała się Farah.

— No właśnie. Nie przychodzi już w środy?

— Nie — roześmiała się. — Wpadła w kłopoty: istniała możliwość, że jest w ciąży.

— O mój Boże! Gratulacje — powiedział.

— Ale już po sprawie.

Jego twarz wyrażała konfuzję, której Fah nie chciało się rozwiewać.

— Pozdrów ją od... Albo jej nie pozdrawiaj. Nie będzie i tak wiedziała, o kogo chodzi.

— Na pewno będzie!

...więcej nie poszła na zajęcia. Sprawdzała martwy ekran swojego telefonu kilkanaście razy na godzinę. Tak jakby miała wszelkie przesłanki, by oczekiwać na wiadomość z wyznaniem miłości, oświadczynami, pozytywnym wynikiem testu ciążowego i terminem porodu. Otrzymała za to pocztą informację o wygranej, która okazała się informacją o możliwości wygranej, i gazetkę świadków Jehowy, a gdy chciała wyrzucić ją do śmietnika, z jej stronic spojrzeli na nią ludzie tak uśmiechnięci, przyzwoici i czyściutko oprani, że przez chwilę pomyślała, że nieprzystąpienie do nich może być w jej obecnej sytuacji taktycznym błędem, którego pewnego dnia nie będzie sobie mogła wybaczyć.

Oprócz tego nie otrzymywała wiele korespondencji, oczywiście nie liczę tu ofert powiększania piersi. Jeśli chodzi o nie, to nie pozwalano, by zapomniała, że zawsze ma taką możliwość.

(„Powiększanie piersi!" — pisano do niej wytrwale, mimo że nie odpisywała).

(„Powiększenie penisa i wydłużenie worka mosznowego!")

(„Przy powiększeniu obydwu piersi lub powiększeniu penisa pomniejszenie mózgu gratis").

(„Pomniejszanie mózgu! Za dużo myślisz? Wspominasz? Rozważasz? Zastanawiasz się, dlaczego spotkało cię tyle cierpienia? Pomniejszenie mózgu wybawi cię od tych kłopotów")

(„Pomniejsz mózg, bądź roześmiany i naprawdę ciesz się życiem!")

(„Tylko teraz promocja: BEZ LĘKU PRZED ŚMIERCIĄ! Przy całkowitym usunięciu mózgu usunięcie lęku gratis")

(„Wspomóż Saharę! 0,00001% zysków naszej kliniki przeznaczamy na ratowanie przyrody pustyni!*")

(* nie jeżdżąc tam na wakacje, bo jest za duży syf)

Usiłowała nawiązać znajomości w pracy, poszła nawet na karaoke, jednak wyszła po półgodzinie.

Bezustannie mówiono o tym, co kto napisał na Twitterze, przeczytał na Facebooku i kto kogo do czego zaprosił. Mogło się zdawać, że to dlatego siedziała cały czas z boku, udając, że pije swoją ciepłą sake i przepoławiając widelcem ziarna ryżu z sushi. Po powrocie do domu założyła stosowne konto i czekała na odmianę losu i już następnego dnia nadeszło coś w tym rodzaju: do grona swoich znajomych zaprosił ją Steve, jej chłopak ze szkoły średniej. Zamknęła stronę i już więcej się nie zalogowała. Założyła profil na serwisie randkowym (nasza gwarancja udanej randki!), jednak oprócz wypełnienia upokarzająco idiotycznej ankiety („miłość to dla ciebie...", „jeśli chodzi o jedzenie, twoim absolutnym «zjem-to-zawsze» jest..." itp.) domagano się od niej przysłania zdjęcia; miała zresztą rację, że się nie wygłupiała; i tak nikt do niej nie napisał.

Wreszcie — wykańczały ją te sny.

Całymi nocami śniły jej się teraz odyseje obyczajowe, w których raz widziani krewni łączyli się z kolegami z podstawówki czy wychowawcami z obozów letnich w pary i trójki i paradowali tak przed nią aż do świtu, wielce dumni z niedorzeczności podejmowanych konfiguracji. Gdzieś niedaleko słyszała roztłukujące się o skały morze i nagle dochodziło do niej, że ciocia Albie, jej chłopak z liceum Steven, trener z siłowni, instruktorka jogi, pracująca w sekretariacie Ingeborg, Joanne — wszyscy oni znali się doskonale od lat, choć nigdy jej o tym nie wspominali! Ostentacyjnie obnosili się teraz przed nią ze swoją zażyłością; czynili pokazowe gesty, łapali pod ręce w manifestacyjnych przymierzach, jakby chcieli rzucić jej w twarz „co ty możesz o tym wiedzieć, Fah, ty nigdy nie miałaś do tego głowy!"

Nim zdążyła przewertować w myślach sekrety, które jedni drugim mogli sobie przekazywać, okazywało się, że już wszystkie krążą w obiegu. Pokazywano sobie jej zdjęcia w wannie z kuzynem i historię jej Googla, komentowano fakt, że nagminnie wchodzi na strony o grzybicach i chorobach pasożytniczych (ciekawe dlaczego!), taszczono nawet poplamiony przez nią krwią menstruacyjną materac na antresoli w domku letnim. Grano w zbijanego jej brudnymi rajstopami, a w monopolu rzucano jej zużytym pumeksem jako kostką (hi, hi, hi, Farah ma pięty!), próbowano się bawić z martwym kotem, który leżał na ulicy przed budynkiem.

— Robią ci się polipy, Fah, słyszę to — powiedziała jej matka. — A dlaczego dzwonię — ponoć śniłaś się cioci Albie.

— Cioci Albie?!

— Aż dwa razy! Zadzwoniła specjalnie z Prixton, by mi o tym powiedzieć.

— Przecież ona ma raka kości — Farah postanowiła grać na zwłokę.

— To jeszcze nic nie znaczy! Bardzo się tym przejęła.

Śniło jej się, że chodzisz w pidżamie z zakrwawionymi nogawkami.

— To nieprawda!

— Pytała mnie, czy masz kogoś.

— Ma-mo.

— Daj mi skończyć! Jej przyjaciółka, co stawia tarota, powiedziała, że możliwe, że wkrótce kogoś poznasz.

— Poznałam kogoś — rzuciła Farah, by tylko zmienić temat.

— Czy to mężczyzna?

— Tak.

— Jedno szczęście. Nie wiesz, jaki kamień spadł mi z serca! Upewniłaś się, że jest...

— Chyba nie, mamo.

— Kochanie, jeśli wyczujesz, że popija, natychmiast przerwij randki. W twoim wieku masz już zbyt wiele do stracenia, a związek z kimś, kto lubi wypić, to przegrana na każdym tle, na którą cię już nie stać, nieważne, jak by cię czarował i zasypywał komplementami. Zasługujesz na kogoś, kto cię szanuje, zawsze miałaś takie piękne włosy!

To była prawda, że kogoś poznała.

Przynajmniej nie była to do końca nieprawda.

Rozdział 5

Życie pełne cudów. Zauważ magię istnienia w 14 dni, autor doktor Manfred Peterson, 134 strony, twarda oprawa. Powiedzieć wam coś szczerze o tej książce? Moja matka też ją czytała, kiedy ojciec zostawił ją z kredytem na dom, umierającym na raka psem i spieprzonym zabiegiem zagęszczania rzęs, i odszedł z dziewiętnastolatką. Nie potrafiła poradzić sobie wtedy z nieprzyjemnymi uczuciami, jakie miała, kiedy spotykała ich ciągle w Wal-Marcie.

„Nie mogę na to patrzeć: ta mała niby nigdy nic siedzi w koszu między torbami płatków śniadaniowych, a Jack, rozpędzając się, wskakuje na ten pieprzony stelaż wózka i jedzie slalomem między półkami z pieczywem i piramidami puszek z chowderem!" — szlochała wieczorami do słuchawki przyjaciółkom. Jej łzy trzeba było wynosić w wiadrze. „W uszach wciąż jeszcze słyszę, jak wrzeszczy «yaba daba doooo!» Na cały Wal-Mart! Ochrona sklepu nie ma na nich rady!"

„MNIE NIGDY TAK NIE WOZIŁ!!!"

Ta depresja trwała, dopóki nie przeczytała właśnie *Życia pełnego cudów* i całkowicie nie uwolniła się od negatywnych emocji i węzłów nawykowych. I choć nie potrafię powiedzieć, czy to ostatecznie ona porzuciła tę książkę w pralni budynku, w którym mieszkała Fah, chcąc, by ożywcze wybawienie poszło dalej w świat, to z całą pewnością jest faktem, że któregoś dnia, wracając z praniem, znalazła ją Farah.

Ze słów autora wynikało, że otacza ją tysiące cudów, których w ogóle nie zauważa, podczas gdy „wystarczy wyciągnąć ręce i czerpać garściami", „rozpuść toksyczne uczucia w oddechu", „uświadom sobie, ile szans codziennie zaprzepaszczasz", „pogarda oddziela cię od sedna rzeczy", „czy to będzie puszysty muffin, pełen życia pies czy pogawędka ucięta ze starszą panią podczas spaceru".

Postanowiła jednoznacznie otworzyć się na bogactwo istnienia i cieszyć każdą chwilą. Zaczęła nawet doznawać czegoś w rodzaju nadziei, tej najpośledniejszego typu: na nie wiadomo co.

Postanowiła poznać nowych przyjaciół.

Będą razem się spotykać, urządzać poduszkowe wojny i towarzyszyć sobie w codziennych porażkach.

Na efekty zmian, jakie w niej zaszły, nie musiała długo czekać. Okazało się, że robi pranie dokładnie tego samego wieczoru co sąsiad z pierwszego piętra.

Był to blady chłopak, opasły i przezroczysty jak marcepan, ubrany w czarny T-shirt z wizerunkiem jakiejś plątaniny czaszek i uciekających palących się ludzi. Jego oczy, niby skąpo rzucone bakalie, majaczyły gdzieś głęboko w cieście twarzy; ta, zamazana w tłuszczu, okolona przez kilka symbolicznych długich włosów, wyrażała wielkie pragnienie przytulenia się do poduszki i obudzenia za wiele, wiele milionów lat, wtedy, gdy będzie już zupełnie po wszystkim.

— Te spierdolone pralki, one niszczą mi ubrania — zauważył monotonnie jak ktoś mówiący przez sen. Polyanna uznałaby to być może za zagajenie rozmowy.

Ciekawe, czy byłaby taka mądra, gdyby istniała.

— Masz majtki w Vadera, to zabawne — zauważyła Farah z czymś, co chciała, żeby było swobodą, poprawiając włosy. Włosy zawsze były jej atutem — po tym można było też ocenić, że konsekwentna dieta i regularne ćwiczenia, że to wszystko korzystnie stymuluje ciało i jego naturalne zasoby.

Jej uwaga wyraźnie wzbudziła jego podejrzliwość.

— Dlaczego właściwie uważasz, że to zabawne?

— Mój bratanek, on też go uwielbia. A generalnie to... jak leci?

Po co właściwie o to spytała? Miał worki pod oczami, parę ładnych milionów kilokalorii, które trzymał na czarną godzinę głównie wokół sutków, i oczy o błyskotliwości osoby, która dwadzieścia lat temu utonęła w stawie.

— Tak, jestem bardzo szczęśliwy, bez wątpienia — powiedział nie tyle radośnie, co beztrosko, z niewzruszeniem satanisty.

Fah miętła w dłoniach swój poszarzały stanik z H'n'Mu.

Opowiedział jej, jak swojego czasu grał w „Counter-strike'a" przez sieć i niewiele spał, chyba bardzo niewiele. A potem znaleźli go na podjeździe, jak przepasany ręcznikiem, z kiściami mydlanej piany wiszącej spod pach trząsł się na wycieraczce. Twierdził, że podczas kąpieli przyszedł do niego pod prysznic wujek, ostro go to wkurwiło i nie dawał się przekonać, żeby wejść do środka. Do dziś jest dość przeciwny wchodzeniu gdziekolwiek, prawdziwy jednak problem ma z wychodzeniem.

Zarówno miesięczny pobyt na oddziale zamkniętym, jak i wszystkie te terapeutyczne gadki dla czubków „wskaż i pokoloruj swoją nienawiść do matki", były w jego przypadku o kant dupy rozbić.

Dlaczego? Chyba po prostu dlatego, że był normalny. Dopiero ten ostatni lekarz, zresztą sam jego zdaniem ewidentnie kawał zjeba, więc raczej zna się na rzeczy, tak wyważył proporcje pomiędzy bordaxem a seroklipamem, który wcześniej go po prostu usypiał, że mógł kimać przez kilkadzieścia godzin z rzędu...

— ...wywołał pożądany skutek. No właśnie, nie wiem, czy brałaś kiedyś coraplam. Nie wiem, jak działał na ciebie, ale mnie z kolei kompletnie pobudza. Jestem tak pobudzony, że nie mogę nic robić, jestem wszystkiego świadomy i dostrzegam zbyt wiele aspektów jednego problemu, które chciałbym poruszyć, omówić, naprawić, przedyskutować lub chociażby gruntownie odkurzyć mieszkanie i wyczyścić żaluzje starą szczoteczką do zębów. Wreszcie gdy sytuacja sprawia wrażenie już nie do zniesienia, biorę seroklipam i pół bordaxu, który całkowicie mnie wycisza: wtedy wiem, że kompletnie nic się nie stanie, jeśli tych wszystkich rzeczy nie zrobię. Wszystko mam pod doskonałą kontrolą. Osiągam perfekcyjny stan wyważenia umysłu, stan, w którym naprawdę chciałabyś się znaleźć. Ludzie latami medytują, żeby takie coś uzyskać.

— Jaki to stan? — pyta Farah, bo jest otwarta, gotowa na przyjęcie cudów życia i nie przerywa rozmów ot tak, tylko dlatego, że ma ochotę uciec, spaliwszy wcześniej wszystkie swoje zdjęcia i dokumenty.

— To stan całkowitej świadomości i jednocześnie całkowitego spokoju. Wiem wszystko, co powinienem w danej chwili zrobić, jednocześnie będąc cały czas świadomym, jakie to w gruncie rzeczy bez sensu i że moje chaotyczne szamotaniny nic tu nie zmienią... Trwam, wypełniając ten czas mało odpowiedzialnymi czynnościami, które pozwalają mi go skrócić.

— To bardzo fajnie — powiedziała Farah. — Zdaje się, że mam czasem coś podobnego po theraflu zatoki...

— Robiłaś coś z krwią? — spytał nagle, rozglądając się czujnie.

Farah zastygła ze swoimi spodniami od pidżamy w dłoni.

— Słucham? — szepnęła.

Ceglasty, parzący rumieniec wypełznął z jej dekoltu i stopniowo anektował twarz.

— Sorry. Po prostu tak pomyślałem.

— Pomyślałeś, że...?

— Ja zawsze płuczę krew przed praniem zimną wodą.

— Tak?

— Te spierdolone pralki zamieniają porządne ubrania w ścierwo. Nie wiesz nawet, co stało się z moją koszulką z Saddamem Husajnem...

Farah nie pytała dalej. Jeszcze przez tydzień nie schodziła w ogóle do pralni i uważała podczas wynoszenia śmieci. Najważniejsze jednak, że zachodząca w niej przemiana była coraz bardziej wyraźna, coraz bardziej dojmująca. Tak, wymagała czasu i cierpliwości; stopniowe odkrywanie radości życia to długotrwały proces, pełen świadomego wysiłku i odpowiedniego ukierunkowania energii. Przede wszystkim jakoś nie sposób oczekiwać zmiany w starych ciuchach; Farah sporo czasu spędzała teraz, błądząc po mallu i kupując co popadnie, jakby kompletowała dla nowej siebie wyprawkę. Fantazjowała, że któregoś dnia spotkają się przypadkiem, gdzieś na mieście, i Joanne nawet jej nie pozna. Nie będzie śladu po starej, poczciwej, wiecznie dającej zaganiać się w kozi róg Fah, z której można tak cudownie porobić sobie popychadło albo doczepić do swojego wozu jako piąte koło i patrzeć, jak się obija! Na jej miejscu stać będzie kompletnie odmieniona, świadoma swojej wartości i przemiany kobieta, wokół której kręcić się będzie grupka zwariowanych przyjaciół. Każdy będzie reprezentował jakiś inny „typ psychiczny", miał inną zabawną manię i styl ubierania i będą urządzać poduszkowe wojny, i...

Cóż za paradoks, że właśnie w jedno z takich popołudni, gdy mamrocząc do siebie, pochylała się nad boksem z przecenionymi stanikami, owionął ją specyficzny, znajomy zapach chaotycznie dobranych perfum i surowej cebuli, przekąszanej mentosem i...

— Farah, to ty?! Zupełnie cię nie poznałam — usłyszała nagle i zrozumiała, że to się już stało i żadne próby zapadnięcia się jeszcze pod ziemię siłą woli nie mają tu szans powodzenia.

Rozdział 6

À propos Bohemian Street, gdzie Joanne pracowała, kręcicie się tam czasem?

To miła i tętniąca pokątnym życiem okolica, swoisty mikrokosmos, pełen socjologicznej kakofonii. Nie mogąc kompletnie skupić się na pisaniu, pokłócona z całym światem, jeździłam tam nieraz metrem, tylko żeby pooddychać tamtejszym powietrzem, złapać trochę szajby i wrócić, nucąc „Mam mnóstwo niczego... la la la... Nic to dla mnie w sam raz". Bohemian nigdy mnie pod tym kątem nie zawiodła. Zawsze mogłam liczyć, że do buta przyklei mi się stary hamburger, a koło jadłodajni dla ubogich przyczepi się jakiś mówiący do siebie wielki skórzasty Murzyn w *un peu* nieświeżej czapce Świętego Mikołaja.

„Co taka śliczna dupcia robi tu sama? — woła taki za każdą Bogu ducha winną staruszką kolebiącą się przez wielkomiejską dżunglę z rozedrganym balkonikiem. — Gdzie narzeczony, hę? Zostawił, umówił się, a nie przyszedł? Umów się ze starym łachudrą, a zrobię twojej małej tak dobrze, jak potrafią tylko chłopaki, co się na tym znają!”

W spodniach, które jednocześnie robią mu za worek, a może nawet i dom, trzyma taki gagatek zazwyczaj skóry po bananach, części od magnetowidów, a czasem i kał, który zawsze jeszcze może się na coś przydać. Te portki są tak brudne, że są już wodoodporne. Jeśli nie kuloodporne! Są w stu procentach organiczne i pewnie można nauczyć je reagować na tonacje głosu albo przeprowadzać niewidomych przez jezdnię... Mógłby śmiało zgłosić się z tym patentem do NorthFace albo do Quechuy. Ale uwierzcie, on woli swój straceńczy żywot.

Tak, tu można spotkać każdego: i żebraka, i księcia. I nagiego króla, o ile tylko któryś z tych zbzikowanych projektantów ogłosił, że w tym sezonie najmodniejsze są ciuchy uszyte z powietrza...

Przewiewne, lekko prześwitujące, ultrasexy, a co najważniejsze: nie trzeba ich prać... Minusy: słabo kryją mankamenty sylwetki. No i inni ludzie oddychają twoim ubraniem. Na jednym rogu ktoś wciska ci hip-hop nagrany właśnie w kiblu w MacDonaldsie albo oryginalną torebkę CHENEL, choć doprawdy worek, w który jest zapakowana, wygląda na bardziej wart tych czterech dolarów. Na drugim beznogi pijaczek przekonuje cię, byś oddał swoje życie Jezusowi, a pieniądze jemu, bo bycie prorokiem to też wydatki... A zaraz na trzecim w butiku-hotelu na złotej sofie pod obrazami Kjowebgiyra Anogiwa, który osiąga teraz zawrotne ceny, niby nigdy nic siedzą córki senatorów i różnych prominentów i zalewają się w trupa, przeglądając „Obrzydliwie bogate pipsko dziś”...

„Czym najlepiej rzucać w telewizor plazmowy? Testujemy kieliszki do szampana”.

„W pięć minut w formie po skrobance? To możliwe. Ekspresowe pogotowie makijażowe".

„Sexy na odwyku. Dziesięć trików, by wyglądać jak milion dolarów, gdy czujesz się jak piętnaście starych marek niemieckich".

„Tato, rozbiłam twój śmigłowiec! Wyciągnij korzyści z zabawnej wpadki".

„Co zrobić, by pekińczykowi nie waliło z ryja".

„Czy wiesz, że psy to ssaki?! Ciekawostki naukowe".

Nie można powiedzieć, te małe nie mają może smykałki do nauki, ale jeśli chodzi o modę, naprawdę znają się na rzeczy. Akurat najnowsza kolekcja Zacha de Boom, którą mają na sobie, nazwana została „Holy", zgadnijcie dlaczego. „Dziewczyna pielgrzyma", to ona zapładnia w ostatnim sezonie wyobraźnię projektantów. Louboutine wypuścił serię świrniętych czółenek inspirowanych przeciwodciskowymi sandałami ortopedycznymi, a Vivienne Westwood proponuje do nich białe grube męskie skarpety z wizerunkiem skrzyżowanych rakietek do tenisa na kostce albo po prostu bose stopy, pokryte trądem i przewiązane kraciastą chustką do nosa. Włosy w tym sezonie mają być nieświeże, „nieatrakcyjne", obowiązkowo: „przetłuszczający się" make-up, suche, najlepiej popękane podczas całowania krucyfiksu wargi, lekkie samookaleczenia. Z daleka myślisz, że to jakieś zwariowane damulki, co przyszły tu na kolanach z Lourdes głosić słowo Chrystusa, jednak jak spojrzy się z bliska, widać łyskające spomiędzy poliestrowych warg perłowe zęby, warte więcej niż twoja dusza, ba, niż całe twoje gówniane istnienie.

Już zdaje ci się, że jedyne ich zajęcie to krzyczenie: O mój Boże! O mój Boże! i rozglądanie się wokół, czy wielkie wrażenie, jakie robią, rozkłada się równomiernie po tym padole łez. Ale jak tylko spróbujesz przywlec się do nich jak wór nikomu niepotrzebnego śmiecia, nie licz na miłosierdzie, one wezmą cię w obroty. Najpierw powiedzą, żebyś skoro nie masz chleba, jadł ciastka; a potem że skoro nie masz ciastek, to żebyś jadł tort śmietanowy z organicznymi malinami. „Nie mam takiego tortu" — szepniesz, przełykając boleśnie ślinę, „To powiedz, żeby ci przysłali samolotem ze Szwajcarii". Czego jak czego, ale nienawidzą wyuczonej bezradności, z nimi też się nigdy nikt nie pieścił. Też kiedyś nie miały domu, więc nie biadoliły, tylko kupiły sobie pałac we Florencji. Też kiedyś nie miały porsche, to kupiły sobie ferrari. Więc jeśli jesteś już takim wyświechtanym, gówno wartym tobą, to chociaż zlituj się i się stąd bujaj, bo zawołają ochronę. One nie znają Litości, żaden liczący się chirurg plastyczny w tym mieście nie ma tak na nazwisko!

Tak to jest na Bohemian, nie ma co kryć; demokratyczny jest tu jedynie gromniczny huk miasta z oddali i ten smród, który koniec końców da się polubić: mieszanina śmieci, świeżo pieczonych muffinów, najdroższych perfum, ludzkiej kaki i żelastwa z bebechów metra. Obsesyjne życie tego dystryktu nigdy nie ustaje, a przez noc rozświetla je petrochemiczna poświata z pobliskich budynków maklerskich.

To tu właśnie pracowała Joanne Jordan, między Chase a sklepem z kosmetykami ajurwedyjskimi.

Sam salon wiele osób kojarzy przez jego dość wydumaną nazwę, która brzmi: „Hairdonism"... Cóż... Wymyślił ją jego właściciel, który ma na imię Jed, ceni sobie sztukę i lubi przymilać się do artystów, a raczej ma nieutulony, wiecznie żywy żal do karmy, że sam nie urodził się jednym z nich. Oraz o parę innych jeszcze rzeczy. Jak wielu, usiłuje zabić ten niedający mu nigdy spokoju resentyment za pomocą alkoholu etylowego; jest w tym konsekwentny, cierpliwy i impregnowany na nieustające porażki. Żal ten bowiem zdaje się nigdy nie ginąć, a wręcz, jak to bywa, podlewany litrami wina, nierozcieńczaną whisky i stoliczną vodką, pęcznieje i wypuszcza w najlepsze, niby pączki, coraz to nowe wątki, znajduje nowe obiekty i zagarnia kolejne płaszczyzny jego dość samotniczego trybu życia.

Jed to duży, gruby chłop o sympatycznej dość twarzy, skłonnej do mienienia się wszystkimi odcieniami czerwieni, po których oceniać dość trafnie można stopień jego odrealnienia: od lżejszych rumieńców aż po pełen melancholijnych blików szkarłat niedopieczonego befsztyka. W niezłych marynarkach i włoskich butach, swojemu zakładowi usiłuje nadać artystowski sznyt, zapychając każdą szparę książkami wielkiej przypadkowości, kupowanymi hurtem po dolarze (*Moby Dick*, *Z osteoporozą na ty*, *Życie i śmierć Stalina*, *Decoupage w weekend*, *Być jak Elton John*). Twierdzi, że kiedyś chciał studiować literaturę porównawczą, jakoby jednak popadł w uzależnienie narkotykowe, z którego na szczęście kompletnie wyszedł, co nie zdarza się często... Kiedy powtarzał to tak, zupełnie pijany, kładąc rękę na sercu, nie można mu było nie wierzyć, że byłby całkiem dobrym eseistą. Gdy nie ma akurat żadnego klienta, Joanne zagląda czasem do tego dziwacznego księgozbioru, czytając głośno przypadkowe zdania i wróżąc z nich sobie lub w sposób dość nonsensowny odnosząc je do własnych zapatrywań na dane zagadnienia, na przykład:

— „Nie dał się zagadać: słuchaj no, to stare psisko tylko się męczy!”* — czytała i:

— Biedny pies. Nienawidzę, gdy zwierzęta cierpią. — dodawała zaraz od siebie, odkładając Steinbecka z powrotem na półkę. Albo tak jak teraz:

— „Na szczęście mam resztki kariery i wspaniałe dzieci”. Hej, czy mam to traktować jako wróżbę? Spóźnia mi się okres!

— Znowu? — westchnęła Mallery, idąca akurat na zaplecze po odbarwiacz.

— Znowu — mówi Joanne, wytykając do niej język, i bierze kolejną książkę: „O ile mi bowiem wiadomo, tereny nie kończą się nagle, tylko niepostrzeżenie przechodzą w sąsiadujące”**.

To było już dla niej za dużo.

— Bez sensu — powiedziała, podgłaśniając radio (leciała Beyoncé, uwielbiała ją). — Beckett to nie jest przypadkiem jakiś tenisista? Jedno jest pewne: facio jest nieźle pokręcony.

Właśnie kiedy to mówiła, do salonu weszła jakaś dziewczyna.

Jed akurat wyszedł na lunch (na który zjadał zazwyczaj dziesięć kieliszków wina w pobliskim barze) (zostawiając kieliszki) (były zbyt bezalkoholowe!) i ze względu na absencję recepcjonistki Jo sama stanęła za kontuarem. „Cześć — powiedziała klientka. — Chciałabym obciąć włosy”.

— Pani...?

— Lores.

---

* John Steinbeck *Myszy i ludzie*, przełożył Jan Meysztowicz, Czytelnik 1965.

** Samuel Beckett *Molloy i cztery nowele*, przełożył Antoni Libera, SIW Znak 2004.

Jo poczuła silny powiew whisky i usiłowała teraz, wodząc długopisem po tabeli z zapisami, zlokalizować nazwisko choć odrobinę podobne.

— Lores, jak ta sieć sklepów — podpowiedziała dziewczyna.

— Ach, Lores, zawsze robię tam zakupy! — uśmiechnęła się Joanne. — Nie mam niestety nikogo takiego w zapisach — dodała zaraz, skonfundowana.

Ale tamta już poszła na spacer wzdłuż półki z książkami, jakby uważała, że żadna okazja do okazania światu swej nonszalancji nie zasługuje na zmarnowanie. Miała bolec w nosie, futrzany kołnierz mimo ciepłej pogody, buty z lat dwudziestych i tęczowe pasiaste skarpetki. Było oczywiste, że należy do tych pokręconych dzieciaków z St. Patrick's, postindustrialnej dzielnicy nad rzeką, która ostatnio jest tak modna; wszyscy oni wyglądają tam właśnie tak: jak postaci, które zbiegły ze stron książek Philipa K. Dicka i próbują wmieszać się pomiędzy Ziemian, kryjąc się przed międzygwiezdną milicją.

Dziewczyna dotykała każdej książki kolejno czubkiem palca, jak dzieci, którym nagle przychodzi do głowy, że jeśli tego nie zrobią, to umrze ich matka.

— Chris kocha to — powiedziała, wyjmując *Klaskać jedną ręką*. — Może to czytać w koło Macieju.

— Czy była pani umówiona?

— Szczerze, to weszłam, przechodząc — powiedziała dziewczyna, bawiąc się papierową torebką, w której miała butelkę. Joanne dopiero wtedy zauważyła, że na twarzy porozmazywany ma tusz do rzęs, jakby właśnie przestała płakać i wytarła się z grubsza mankietami. — Chciałabym po prostu, żeby ktoś mnie ostrzygł. To chyba nie taka wielka sprawa. Muszę to zrobić teraz.

— Przykro mi, najbliższy termin to w tej chwili...

— Bardzo proszę.
— Mogłabym wcisnąć panią...
— Jeśli mnie nie ostrzyżesz, wyjdę stąd, stłukę tę butelkę i nią poobrzynam sobie włosy.

Joanne zastygła nad zeszytem. Dziewczyna cała się trzęsła. Nie wiadomo, co podpowiedziało jej, że ta mała wcale nie żartuje. Bez słowa wskazała jej myjkę. „Całe życie z wariatami" — pomyślała.

— Czy mogę tu zapalić?
— Niestety nie.
— Wybiegłam z domu i wsiadłam w metro. Cały czas po drodze ryczałam, w całym wagonie kompletna cisza, tylko mój ryk, że tak powiem. Wysiadłam dopiero tutaj, nie wiem nawet, gdzie jestem. Zobaczyłam ciebie przez szybę i pomyślałam: muszę się oczyścić, muszę się tego pozbyć, muszę to z siebie zedrzeć. Pedał będzie mnie widział i będzie wiedział, co mi zrobił. Będzie widział, do czego mnie doprowadził. Będzie myślał, że mam raka. Chcę, żeby tak myślał! Albo że siedzę w więzieniu o zaostrzonym rygorze. Bo go zamordowałam. PEDRYL JEDEN. Oberżnij je przy samej skórze, proszę.

— Kto to był? — spytał Jed, mijając się z nią w drzwiach i z zadowoleniem przyglądając się jej, gdy odchodziła: tak jak to sobie wymarzył, koło zakładu zaczynali kręcić się artyści i niech mu ktoś powie, że to nie z powodu tego księgozbioru!
— Nie mam pojęcia — westchnęła Jo, zmiatając jej ciemne, pozlepiane i niezbyt czyste włosy.
Ale tak to już było na Bohemian i za to ludzie kochali tę ulicę.
— Jak tam twój łysol? — spytał Jed. Rozsiadł się za kontuarem, gdzie zazwyczaj siedziała recepcjonistka.

Kupił sobie słoik perłowych cebulek i zagryzał nimi whisky. Silił się na ton szczodrego i wyrozumiałego wuja, spod której to zasłony dymnej wyczuwalne było głębokie cierpienie. Był jeszcze ZA MAŁO kompletnie pijany, by nie cierpieć.

— Dzięki. Chcemy jechać na urlop. Oczywiście jeśli go dostanę — mrugnęła do niego Jo.

— Nasz playboy dalej sprzedaje krany, hę?

— Armatury — przypomniała mu Jo, drapiąc się w pierś.

— Nie przyprawia ci on tam rogów? Wiesz, jak działa na kobiety widok faceta umiejącego obchodzić się z hydrauliką.

— To tylko fucha. Niedługo ma zwolnić się miejsce w Instytucie Kultury Węgierskiej.

— I co? Pojedziecie w wielką podróż, by to uczcić?

— Dokładnie.

— Objedziecie razem Węgry na wielkim pęcie salami?

— Zgadłeś, Jed. A po drodze zajrzymy nad ocean; mój tyłek tylko marzy, by być zanurzonym w oceanie.

„Dupogłów" — pomyślała. Coś go dziś ugryzło. Choć właściciel i pomysłodawca „Hairdonismu" zazwyczaj był do rany przyłóż. Nawet jeśli czasem, gdy był pijany, zbyt długo mierzwił jej włosy albo trzymał jej dłoń przy swoich ustach, zostawiając na niej czułe pocałunki, dużo zbyt intymne i mokre jak na pracodawcę. Kiedyś nawet próbował ssać koniuszki jej palców; Jo pozwalała mu na te drobne ohydztwa i po prostu dyskretnie wycierała potem dłonie i policzki z jego śliny papierem higienicznym. Nie pytajcie dlaczego: był nieszczęśliwy i powinno czasem go spotkać trochę czułości, nawet jeżeli to tylko jego własna czułość, a w dodatku potem jej nawet nie pamięta. Joanne wierzyła, że nawet kiedy jego mózg niby dziurawy statek dryfuje na boku po odmęcie niedrogiej whisky, jego dusza czy TO COŚ, co jest w człowieku, zapamiętuje te drobne minutki szczęścia i odprężającej bliskości drugiego człowieka. Nie zostawało po nich nic, nawet wspomnienie tych pieszczot opuszczało Jeda wraz z ostatnią kroplą ciemnej, kacowej uryny, jednak i wtedy między tymi dwojgiem unosił się rodzaj ciepła i wzajemnej pobłażliwości. Zdawało się, że Jed traktował Jo jako rodzaj przedstawicielki pierwiastka kobiecego w swoim życiu, zwłaszcza odkąd zaczęła przychodzić z dekoltem pokrytym wybroczynami, pachnieć szminką, zaś spod rękawków wypadały jej ramiączka stanika. A jeśli chcieć to ująć mniej filozoficznie: po prostu lubił ją, a mrzonki, że prześpi się z nią któregoś dnia, zastępowały mu życie seksualne.

— Zaraz, zaraz, czekaj no, Jo. Pokazywałem ci tę sesję, gdzie czesałem modelki do katalogu… jak to tam było?

Zerwał się, widząc, że Jo pakuje torebkę i wyjmuje szpilki z koka, który bez nich wali się i zsypuje na jej ramiona jak trącona przez samolot wieża. Chciał ją jeszcze jakoś zatrzymać, przekonać do siebie. W salonie były zaledwie dwie klientki, które siedziały z głowami owiniętymi folią, przerzucając te drukowane na lichym papierze atlasy niedogolonych pach, wybuchających w piersiach implantów i rozpadających się operacji plastycznych gwiazd oraz różnych innych entropicznych obrzydliwości, których ludziom nigdy dość. Ciepłe słońce wpadało w witrynę, zasypując posadzkę cętkami. Jed gorączkowo przerzucał foldery w swoim laptopie w poszukiwaniu jakichś dowodów, że warto się z nim przespać, a przynajmniej to rozważyć. Jednak ikonki na pulpicie dziwnie mnożyły mu się, dwoiły i wyślizgiwały spod strzałki myszki.

— Kochanie, pokazywałeś mi je już — rzuciła beztrosko Joanne. Wiedziała, że był już dość pijany, by mogła pozwolić sobie wobec niego na pewien stopień beztroski czy wręcz impertynencji. — Jakieś trzysta dwadzieścia jeden razy.

— Strzygł je wtedy ten... jak on tam... — dukał jeszcze Jed żałośnie, jak uczeń w koszmarnym śnie, niemogący nijak przypomnieć sobie lekcji, którą chwilę temu doskonale umiał. Bekając, wodził rozżalonymi oczami za jej zbyt cienkimi w stosunku do reszty ciała nogami, za miejscem, w którym namalowany pisakiem szew wślizgiwał się pod skórzaną spódniczkę, do której Jo nosiła dzisiaj pienistą bluzkę z kremowej koronki, pachnącą lumpeksem i oryginalnym potem z lat siedemdziesiątych.

Joanne przeglądała sobie w lustrze odrosty. Sięgnęła po jeden z flakoników z farbami i włożyła go do swojej torebki w kształcie słonecznika.

— Znowu wychodzisz wcześniej.

— Muszę kupić kostium kąpielowy. Biorę to. Zapisz to z łaski swojej w zeszycie na moje nazwisko — powiedziała, nie zostawiając mu już cienia nadziei na nic. — Odcień 014, sztuczne kasztany.

Wychodząc, zostawiła na kontuarze podanie o urlop i przesłała Jedowi roztargnionego buziaka. Niestety był zbyt pijany, by złapać go w locie, i pocałunek przeleciał przez szybę, i przylepił się do policzka jakiegoś Chińczyka przejeżdżającego na własnoręcznie zmontowanym pierdolocie, z którego bagażnika sterczały patyki pełne od góry do dołu lśniących rajskich jabłuszek.

Rozdział 7

Śmierdzące wielkomiejskie lato.

Było tak słoneczne, tak wrzaskliwe i głośne.

Spomiędzy liści szczwanym wzrokiem obserwowały ją szare, nadpobudliwe, nadmiernie rozmnożone wiewiórki, które na szelest woreczka z pekanami spełzają zewsząd i osaczają darczyńcę swoimi zatroskanymi oczami, natrętnymi noskami, płochą, ale bezczelną obecnością.

Winne temu są różne bezdzietne małżeństwa, zakochani popisujący się przed sobą swoją wrażliwością, dzieci skarmiające te aroganckie stworzenia resztkami szkolnych sandwiczów oraz turyści, którzy nie mają już co robić z pamięcią w aparatach fotograficznych. Jeśli więc zamierzacie w najbliższym czasie wziąć udział w eliminacjach do teleturnieju „Filmy, których jeszcze nie ma" i padnie pytanie o wchodzący do kin za parę lat, oparty na faktach horror *Śmiertelne wiewiórki 7D*, będziecie wiedzieć, że to wszystko skwerek przy Bohemian i te niby-to-słodziutkie szare stworzonka, które teraz na oczach Joanne brykały wśród liści, potykając się o swoje puszyste, wdzięcznie wygięte ogonki.

Pachniało pieczonymi orzechami, spalinami i nagrzaną tapicerką samochodu. Fonosferę wypełniała zawiesina popołudniowego harmidru, niesnaski włóczęgów, łomot deskorolek ze skweru.

Ta drażniąca zmysły profuzja przyprawiła Jo o rodzaj metafizycznego podniecenia, urzeczenia, jakiegoś paraliżującego ją nagle na wszystkich poziomach pożądania, którego nie potrafiła objąć żadną nazwą. Pomyślała tylko, że kocha to miasto, że kocha życie. To miało w sobie tę charakterystyczną szczyptę bólu, że nie może być jej więcej, że nie jest jej dwie. Może zresztą był to po prostu głód. Bo nagle coś ją wzięło i byle jak, byle gdzie zaparkowała swojego pinto podobnego do rozdeptanej blaszanej ropuchy. Swąd kebabu z baraniny był tak oszałamiający, że wzięła jednego wprost ze stojącej na ulicy budy i zjadła łapczywie, stojąc w lekkim rozkroku, a krążki cebuli wypadały jej i toczyły się przechodniom pod nogi i dalej, w dół ulicy.

Była buddystką i wegetarianką, ale jakoś mimo to nie mogła czasem się oprzeć; kilka dni trzymała dietę, a potem jakiś demon ciągnął ją do jednego z jugosłowiańskich sklepów na St. Patrick's, gdzie za szybą lodówki wśród plastikowego bluszczu i sztucznych cytryn wiły się monumentalne pęta kiełbas. Najczęściej zjadała kawał na ulicy prosto z papieru, zagryzając tymi ich dziwacznymi zgniłymi ogórkami.

Teraz, ścigana zaczepkami kloszardów, wsiadła do pinto. Pozwoliła, by wiatr wywiał zza wycieraczki mandat za złe parkowanie, wrzuciła do ust miętówkę i zaczęła w korku pchać się ku Bath. Jakież było jej zdziwienie, gdy błąkając się po korytarzu mallu...

— Farah, to ty?! — wykrzyknęła niedowierzająco, podchodząc. — Zupełnie bym cię nie poznała!

— Dzięki — wyjąkała Farah. — Przechodzę rodzaj przemiany...

— Och nie, nie przejmuj się: wyglądasz całkiem tak samo! To te stare soczewki; nie miałam czasu kupić nowych.

Rozdział 8

Jeśli chodzi o sąsiadów, którym od wrzasków jej rozkoszy leciały z rąk widelce, piloty telewizorów i wiosła MultiFitnessHomeTrainera i którzy zresztą składali już stosowne skargi do administracji budynku, to Joanne nigdy się nimi specjalnie nie przejmowała. Dorobiła hungaryście klucze, przyjeżdżał tu prosto z centrum armatury „Tip-tap" (znacie tę piosenkę, którą męczą w radiu? Czasem całymi dniami chodzi za mną, aż nie mogę się od niej opędzić; w mojej głowie krąży jedna myśl „Krany na TIP-TAP, krany na Tip-tap, twoje krany na Tip-tap"). Jeszcze wchodząc, rozpinał i zrzucał swoje źle dobrane, damskie jakby dżinsy; kochali się, gdy tylko wracała z pracy; zaraz zresztą było po wszystkim i po miłości zostawało tylko kilka zadrapań paznokci na boazerii, wznoszących się króliczków kurzu, walających się luzem po parkiecie włosów łonowych.

Gdy wynajęła to studio, wisiały tu nawet poroża, a przy łóżku leżał kawał prawdziwego futra; ktoś ewidentnie usiłował w tej dość podłej kamienicy nad rzeką urzeczywistnić wbrew wszystkiemu marzenie o domku myśliwskim. Joanne zaś cierpiała na ten typ zbieractwa, którego ofiary mówią: „ależ to słodziutkie!" na widok niemal wszystkiego, co da się odczepić, wziąć i zabrać ze sobą do domu. Po dwóch latach jej bytności tutaj większość boazerii pokryta była obrazeczkami, pocztówkami, zdjęciami, ulotkami ze szkół jogi, godzinami otwarcia muzeów, folderami zapraszającymi do przystąpienia do sekt, darmowymi cukrami z kawiarni i wydrukowanym z internetu Dezyderatem. Pośrodku pokoju stał tandetny czerwony plastikowy stół z Wal-Martu, który uważała, że wygląda zupełnie jak „designerski", i uwielbiała pytać ludzi, za ile go kupiła. „No ile, zgadnijcie, ile mogłam za niego dać? No dalej!" i wszyscy, by sprawić jej przyjemność, mówili: pięćdziesiąt dolarów. Cóż, w rzeczywistości blisko: czterdzieści dwa, ale przecież wyglądał nawet na kilkaset! („Zwłaszcza jak się zdejmie soczewki" — powinna jej była powiedzieć Farah, jednak przyszło jej to do głowy dopiero później, gdy była już w domu).

Na stole tym piętrzyły się warstwami rekwizyty jej niezbyt przemyślanego, choć pełnego pasji życia: plastikowy lampion-budda, żel intymny, maść na krostki, które robiły jej się ciągle na dekolcie, papierki po Daimsach, płyty DVD, kredki do oczu, listki Manti. Był tam też „masażer osobisty" z główką Vadera, wyciągnięte ze skrzynki gazetki świadków Jehowy, menu BBQueen Grill, jej aparat fotograficzny i obdarte ze skóry szpilki, których nigdy nie miała czasu ani siły zanieść do naprawy i których obcasy usiłowała doprowadzić do porządku sama lakierem do paznokci.

Cóż, być może po prostu te wszystkie pieszczoty, czułe i gorące, fizyczna rozkosz, w której falach nurkowali teraz codziennie tak gorliwie, przywiodły tych dwoje na skraj transcendencji. Wobec której rzeczy doczesne zawsze prezentują się jak liche, niskobudżetowe scenografie, sprawiają wrażenie dziecinnych zabawek. Zdaje się, że to dlatego mogli nie brać do siebie szpetoty tego mieszkanka: zdawała się ich nie dotyczyć, być w kontekście ich erotycznej namiętności bez znaczenia. Teraz też nie mogło być im lepiej, gdy leżeli na niezbyt odkurzonym dywanie, na którym tęczowe trójkąty miały wyobrażać nieskończoność kosmosu. Puści, rozdelikaceni, nieświadomi, jak źle wyglądają nago, pozwalali, by ciepły, pachnący botanicznie wiatr znad rzeki oblekał ich podrażnione miłością, pokryte czerwonymi plamami ciała w kojące całuny. Z Water Street, na którą wychodziły okna, wpadały niecierpliwe nawoływania oblepionych ołowiem ptaszków, dźwięki szybujących aeroplanów i huk przetaczającej się po estakadzie kolejki.

— Nie mogę — westchnęła Jo, wymacując na dywanie kłębek kurzu i włosów, podnosząc go do oczu i odkładając z powrotem. — Nie mogę oswoić się z myślą, że jednego dnia...

— Co, Jo?

— Że umrę.

— Że co?!

— Że zdechnę. Wszyscy dalej będą sobie żyć, a ja będę leżeć jak kot na ulicy, mijana przez pędzące samochody.

— Nie mów tak.

— Skoro to prawda — powiedziała Jo, a po jej policzku sturlała się czarna od tuszu łza.

— Pomyśl, ilu ludzi już umarło.

— I co z tego?

— Nic, życie toczy się dalej!

— To ma mnie pocieszyć?! — powiedziała Jo łamiącym się głosem. — Nie chcę! Po prostu nie chcę. Za bardzo kocham życie. Wiem, że jestem buddystką i choćby z tego względu nie powinnam tak myśleć...

— Ale...?

— Zawsze jak się skończymy kochać, bierze mnie coś takiego smutnego. Jakbym miała w środku pusto i uderzona mogła wydać tylko dudniący, matowy dźwięk. Jakby wiał przeze mnie wiatr! Gdy mnie bierzesz, czuję się taka pełna, silna, żywa, a gdy jest po wszystkim, znów ogarnia mnie ta dojmująca samotność. Wiem, że znowu jesteśmy dwiema obcymi jednostkami, że połączenie jest niemożliwe, że człowiek jest samotny w sobie na zawsze...

— Jo! — powiedział hungarysta pojednawczo, usiłując zatkać jej usta pocałunkiem.

— Przyjaźń czy miłość jeszcze tylko to wszystko pogarsza, daje ci złudzenia. Myślisz, że z kimś jesteś blisko, a potem spotykasz go przypadkiem w sklepie, mówisz mu „jadę nad ocean", a on się w ogóle z tobą nie cieszy. Nie cieszy się twoim szczęściem! Kochasz się z kimś i myślisz już, że będzie tobą razem z tobą, że zlepicie się i będziecie tak na zawsze, głowa w głowę, serce w serce, że w wielkim ognisku miłości spalisz tę samotność, ten cały tłuszcz życia, druzgocącą ohydę własnego istnienia! A tymczasem: on tylko wstaje i idzie do łazienki się wysikać, a ty leżysz i patrzysz na zwały cellulitisu, które niegdyś były twoimi udami.

— Błagam cię, nie płacz, Jo — mówił, scałowując jej łzy. — Wszystko będzie dobrze.

— Przestań mnie uspokajać, zamykać mi usta! — powiedziała Jo. — Nie widzę przyczyny, żebym miała być spokojna, skoro właśnie jestem niespokojna! Chcę być niespokojna, jeśli jestem niespokojna! Mam do tego prawo!

— Chodzi mi tylko o to, że...

— Wiem, co chcesz przez to powiedzieć, i zaklinam cię: nie mów tego!

— Ale...

— NIE, TO NIE JEST NAPIĘCIE PRZEDMIESIĄCZKOWE! — wrzasnęła.

Ale była zbyt pogodna, by długo się dąsać, i chwilę potem znowu tonęli w pocałunkach i pieszczotach. Słońce zaszło, podmywając niebo zawiesistym różem, a oni otworzyli butelkę kwaśnego chardonnay. Do środka wpadło dużo pokruszonego korka, ale i tak dało się wypić, jak na tę cenę. On, oglądając *CSI*, drapał się po jądrach i nieco na wyrost przeczesywał palcami kilka swoich włosów; tak jakby, póki jeszcze nie wypadły, chciał wyciągnąć z nich wszystkie możliwe korzyści: nawijać je na palce i rozpuszczać na wietrze, pleść z nich warkocze i tarmosić je podczas ziewania... Joanne zaś chodziła po domu w rozwleczonym T-shircie, z farbą na odrostach, załatwiając rozmaite sprawy. Oglądała sztuki swojej odzieży pod kątem plam, niektóre z nich usiłując zdrapać paznokciem, próbowała zmyć szwy z nóg, które nie chciały zejść ani spirytusem, ani szamponem; rozmawiała przez telefon ze swoim bratem...

(Jeśli chodzi o niego, to mieszkający w San Diego Dean Jordan handlował starymi grami komputerowymi, wysyłając je do zapaleńców z całego świata, na czym ledwie-ledwie wychodził na swoje. I choć zabałaganione mieszkanie, w którym cisnęli się z żoną i synkiem, zastawione aż po sufit nieodfoliowanymi od 1993 pudełkami „Prophecy", „Bat" czy „Koshan Conspiracy", kartonami i powietrzem do zabezpieczania paczek, sprawiało dość niedorzeczne wrażenie i było przedmiotem kąśliwości całej rodziny, Jo uważała, że to całkiem fajna i „pełna wyobraźni" robota. A przynamniej tak twierdziła, ilekroć podupadał na duchu).

(„Nie możesz przestać wierzyć w to, co robisz, Dean! — mówiła teraz. — Sam mówiłeś, że sprzedałeś w tym miesiącu jakiemuś gościowi gier od cholery i trochę... Tacy jak on cholernie cię potrzebują! Poza tym czy wyobrażasz sobie, że pakujesz te gry, zanosisz je na pocztę... Być może już teraz są gdzieś zupełnie daleko, gdzieś aż w Polsce, w byłej Jugosławii! Świat jest tak ogromny! Jest tak wiele kontynentów i różnych krajów, że nie mamy o tym pojęcia. To niesamowite, Dean, zazdroszczę ci!").

Przekładała przedmioty z miejsca na miejsce i analizowała oferty moteli nad oceanem, by zminimalizować prawdopodobieństwo grzybicy stóp — spotkana w mallu Farah przekonywała ją dziś, że motele, zarówno wykładziny, jak i brodziki, są pełne tych zarodników czy jakichś plech.

Wreszcie: wykonywała niechlujne asany i mówiła do samej siebie. Może wy zwykliście uważać to za irytujące, ale moim zdaniem był w tym rodzaj głębokiej samoakceptacji i sympatii do własnej osoby.

— O Chryste! — mówiła na przykład niespodziewanie, nie oczekując, a wręcz nie życząc sobie, by ktokolwiek pytał jej „co się stało?". — Kończy mi się złota karta w Studiu Medytacji! Stracę zniżkę.

Albo:

— Chloe. Chloe to jednak najładniejsze imię dla dziewczynki. Lubię też Mae, ale Chloe jest najładniejsze.

Albo:

— Hej, to jednak mogło być to napięcie! Dostałam właśnie okres!

Była trochę rozczarowana; sekretnie uważała, że być może jest w ciąży. To było trochę podniecające: być, BYĆ MOŻE, w ciąży. Praktycznie co miesiąc wyobrażała sobie siebie — brzuszki są baaardzo seksowne! Chociaż może tak było rzeczywiście lepiej: świat nie zmierza w dobrą stronę, kto wie, ile to wszystko potrwa. Dziesięć lat? Dwadzieścia? Jakie miała prawo do sprowadzania kolejnej jednostki w tak niepewnej świetności miejsce i skazywania jej na cierpienie i ból? No i było coś jeszcze dużo gorszego: nie podobało jej się jego nazwisko. Kompletnie! Już to sobie przymierzała. Chloe Tyrd? Mae Tyrd, już brzmi lepiej, ale wcale nie: dużo lepiej. A poza tym: kiedy właściwie miałaby mieć to dziecko? Praca w „Hairdonism", seks, medytacja, joga, praktycznie nie miała czasu dla siebie. Nie miała czasu kupić sobie nowych soczewek, żeby chociaż zobaczyć, co właściwie robi!

— Cholera, znowu mam zgagę — powiedziała. Znalazła akurat na stole pętko zaśniedziałego chorizo i patrzyła na nie w zamyśleniu. — Wyobraź sobie, że spotkałam dziś Farah.

— Farah? Co z nią? Jakoś ostatnio się za nami nie włóczy...

— Och przestań.

— Czyżby nie podobało jej się wtedy w IMAXIE?

— O rany, nie przypominaj mi — Joanne ze śmiechem wywróciła oczami na wspomnienie tego trudnego do zapomnienia wieczoru; upili się wtedy i potwornie przy niej... Szkoda gadać, to było naprawdę świńskie! Hi, hi.

— Może skończył jej się żel antybakteryjny i nie może wyjść z domu.

— Jest samotna. Dlatego się tak zachowuje.

— Nie broń jej, wiesz przecież...

— Czasem mi się zdaje, że ta mała wariuje, powinna sobie kogoś znaleźć — powiedziała Joanne i spojrzała czujnie na drzwi. Przeszły ją dreszcze: przez chwilę zdało jej się, że stoi w nich Farah i wszystkiego tego słucha.

— Moim zdaniem jest lesbą.

— Nie jest!

— Jest.

— To przez te buty, które nosi.

— Coś jakby „szpilki trekkingowe"? Wygląda przez nie, jakby wiecznie szła do piwnicy po konfiturę do herbatki.

„Poczekajcie, niech no przyniosę tylko moją pigwę! Namarynowałam jej w zeszłe lato dwa tysiące słoików. Nikt tego nie je, wszystko pleśnieje! Mam nadzieję, że macie przez to porządne poczucie winy".

— A mnie szkoda, że z nami już nigdzie nie chodzi — powiedziała Joanne. Naprawdę zrobiło jej się żal. Szczerze mówiąc, bez Farah nie było tak samo, czegoś ciągle brakowało; jej zazdrość czyniła wszystko jakimś bardziej atrakcyjnym i podniecającym. Wzięły ją skrupuły. — Chodzi po prostu o to, że nie umie się malować — dodała w obronie przyjaciółki. — Mogłaby być przecież całkiem ładna!

— Nie rozśmieszaj mnie.

— No dobrze: szczupła. Poza tym ma ładne włosy.

— To fakt. MA WŁOSY. To jest pewien atut. Ale dość już tych pochwał. Zamówiłabyś jakąś kolację?

Rozdział 9

29 września.

Mój pamiętniczku.

Kurczaki z BBQueen Grill, które chciały się na mnie zemścić za zjedzenie wczoraj ich skrzydełek późnym wieczorem powinny być chyba bardzo usatysfakcjonowane. ZEMSTA UDAŁA SIĘ NA CAŁEJ LINI! Po ich zjedzeniu utyłam z 5 kilo, i chyba już nie wcisnę się nawet w ten kostium kąpielowy co kupiłam dopiero co w centrum w Bath. Jed-Zgred dał mi urlop i lada moment wyruszamy, oczywiście jeśli ta kupa złomu nie rozleci się pode mną w drzazgi na pierwszej obwodnicy. Już wieczorem ogromnie mi się odbijało, miałam totalną zgagę, a potem śniły mi się takie żeczy, że ODYSEJA Edypa to przy tym wycieczka 2 stacje metrem i spowrotem. Och Jordan, czemu musisz być zawsze taką wstrętną „może-jeszcze-odrobinkę" i „tylko-jeszcze-ten-kawałek-skórki"?

Może to zresztą jeszcze inne powody: wzięłam advil bo bolał mnie okres, i jeszcze coś spotkałam Fah w sklepie i odniosłam wrarzenie, że jest między nami z jej strony jakaś zadra. Nie mam pojęcia o co może chodzić, ale nie jest między nami tak jak kiedyś, czułam złe wibracje, może domyśliła się że wtedy w IMAXIE zrobiliśmy to przyniej;)), to jednak było trochę nie fair! Tak czy siak śniło mi się, że leżeliśmy na plaży na leżakach, a chłodny słony wiatr owiewał nam spocone ciała. Było ó-ro--czo, popijając sobie w najlepsze Campari z soczkiem i czytając totalnie interesujący artykuł w Yogalife....

Czytany przez Joanne kontrowersyjny artykuł dotyczył akurat immanentnej życiu ludzkiemu na Ziemi samotności. Autor, profesor uniwersytetu w Bengson, dowodził, że nie istnieje miłość, zaś to, co za nią zwykliśmy uważać, to jedynie niedorzeczna nadzieja, że druga jednostka jest w stanie uwolnić nas od samych siebie, inkorporować nas, wchłonąć, zwolnić z uciążliwego obowiązku bycia nami.

Absolutnie się zgadzam! — pomyślała Joanne, biorąc sążnisty łyk campari.

„Oczywiście nic takiego nie ma prawa się zdarzyć — głosił artykuł. — Jesteśmy sami do końca, nic nie pomogą ani alkohol, ani narkotyki, ani sprawdzanie, co tam na Facebooku, ani genitalia. Tak, nawet te ostatnie, podobne trochę jakby do potworów, stworzone jakoby właśnie do uprawiania miłości, do transcendentnych aktów łączenia się dwóch w jedno, służą do wszystkiego, tylko nie do tego. Któż uprawia miłość po to, żeby zjednoczyć się, złączyć z drugim, zespolić w duchową i fizyczną jedność?"

Racja — szepnęła Joanne z wypiekami na twarzy, kompletnie nieświadoma, że poziom wody w oceanie dziwnie się obniża. Tekst potwierdzał pewne jej obserwacje i niepokoje, których nie potrafiła wyrazić. W dalszych swoich partiach przedstawiał postulaty odarcia miłości z „kompleksu transcendencji" i „metafizycznych mrzonek" i potraktowanie go z pozbawioną złudzeń kreatywnością.

Gdy Joanne oderwała się na chwilę od tej pasjonującej lektury, zaniemówiła z przerażenia. Okazało się, że ktoś w międzyczasie wypompował z oceanu całą wodę! Został jedynie mokry piasek, na którym leżały zdychające ryby i schnące meduzy, kawałki desek do surfingu i statków pasażerskich, martwe kraby i stare pralki.

Mój pamiętniczku, tak mi było żal tych wszystkich stworzeń i porzuconych, ledwie napoczętych przez dzieci lodów, a najbardziej siebie, jak pomyślałam, że dostanę następny urlop pewnie za 100 lat, kiedy kostium w Sponge B. będę mogła założyć sobie na jedno udo. W tym śnie myślałam, że to na pewno Jed spuścił tę cholerną wodę, jest ogromnie zazdrosny że kogoś mam, widać nawet w mojej podświadomości.

Morał z tego wszystkiego jest przede wszystkim taki, że koniec ciężkostrawnego jedzenia na noc. Po powrocie z urlopu dieta tylko warzywa i jogurt 0% :))MASAKRA

Rozdział 10

Oczywiście: najlepiej gdyby wtedy w mallu, gdy się spotkały, piszczała: „To cudownie, że jedziecie", „Na pewno będzie super, Jo", „Cieszę się razem z tobą" i tak dalej. Tak by było najlepiej, wiadomo. Ale z drugiej strony, w imię czego miałaby to robić, kiedy cała się trzęsła ze złości, z żalu do Joanne, który wrócił nagle w całej obfitości, jakby nie znikł wcale w tych ostatnich tygodniach, a tylko odpłynął gdzieś na stronę, by tam sekretnie rozmnożyć się i urosnąć w siłę.

— Też byłam kiedyś nad oceanem — powiedziała. — Z mamą i bratem.

— Naprawdę? — spytała Jo, znacznie więcej uwagi poświęcając na macanie jakiegoś stanika.

— To było, nim tato umarł, miałam pięć lat. Pamiętam tylko swój oniemiający zachwyt i że płakałam, gdy mnie stamtąd zabierano.

— Musiało ci być przykro — powiedziała Joanne beznamiętnie, pstrykając haftką.

— Musicie uważać w motelu. W wykładzinach i brodzikach najczęściej jest ogromna grzybica stóp.

— Co ty mówisz! Gdzie będziemy się kochać? Żarcik.

— Lepiej też zawsze sprawdzić, czy nie ściągnęli wam zbyt wiele z karty kredytowej. Nie żartuję. Bardzo często się to zdarza. No i nie zaglądajcie pod prześcieradła — to oczywistość. Ja to zrobiłam, odradzam, nie mogłam potem nic zjeść.

— Przez wszystkie te dwadzieścia cztery lata?

— Słucham?

— No... Mówiłaś, że miałaś pięć lat, kiedy tam byliście, więc... Nieważne. To był żart.

(Może powinnaś ostrzegać, kiedy żartujesz? Ludzie wiedzieliby, kiedy się śmiać — mogła jej powiedzieć Farah. Ale w końcu powiedziała tylko:)

— Cóż... Zazdroszczę ci. Dziś w agencji o mało nie zemdlałam od upału.

— Może powinnaś się gdzieś wybrać?

— Może.

— Za dużo pracujesz, Fah! Przydałby ci się wypoczynek.

— Może pójdę na basen.

— Ja nie cierpię basenu — powiedziała Jo. — Nie cierpię tych czepków, ludzie wyglądają w nich jak orzeszki ziemne.

— Muszę trochę zrzucić. Roztyłam się ostatnio. — Tu Farah lekko, ale znacząco rzuciła okiem w wystawę Sephory, w której obok odbicia przysadzistej Jo w pienistej bluzce chwiała się jej własna sylwetka, cienka i gibka. Z daleka musiały wyglądać jak flaming i opasły jeż, gawędzące przed meczem u Królowej. — Jestem ohydnie gruba.

Oczywiście Jo udała, że tego nie słyszy. Zaczęła nagle czegoś bardzo pilnie szukać w torebce.

— Właśnie, skoro nigdzie się nie wybierasz... może chciałabyś bilet na wernisaż? — powiedziała. — Dostałam je dziś od jakiejś postrzelonej artystki. Przyszła niezapisana, zażądała, by obciąć jej włosy, a gdy to zrobiłam, powiedziała nagle „Aha, a tak w ogóle to wolontariat, mam na karcie minus dwa dolary". Możesz to sobie wyobrazić? To miasto pełne jest nieuleczalnych świrów. Skończyło się na tym, że dała mi te bilety. Podobno to odlotowa wystawa. Gdyby nie wyjazd... Uwielbiam współczesną sztukę. Jest taka nietypowa.

— Dzięki, ale... — rzekła kwaśno Farah. Oglądała świstek zatytułowany „Szpital śmieci". — To nie jest żaden bilet.

— Nie?

— Dała ci za strzyżenie zwykłą ulotkę, Jo. W dodatku bardzo nieudolnie zaprojektowaną.

— Trochę daleko, ale mogłabyś się przejechać.

— To w Princetown, Jo.

— Jeździ tam autobus.

(Może od razu stąd na niego pójdę, to na piątek akurat będę na miejscu — powinna jej była wtedy odpowiedzieć Fah. Ale przyszło jej to do głowy oczywiście znacznie później).

— Dzięki, doceniam ten „prezent". Ale nie będę jechać godzinę, żeby zobaczyć zlepiony plastrem kubek ze Starbucksa.

— Mogłabyś kogoś poznać...

Aż dziw, że można upchnąć tak wiele w jednym, na pozór niewielkim spojrzeniu!

Którym Fah poinformowała teraz Joanne, co sądzi na temat szpitali dla śmieci i zakładających je lewaków. Którzy powinni się sami do nich położyć i wyleczyć ze swoich nietkniętych nigdy przez ortodontę zębów, pływających w łoju dredów, zaszczurzonych mieszkań i pretensjonalnych pomysłów na życie. Na zdrowie! Niech palą marihuanę, całują się z języczkiem na powitanie i jedzą jedzenie tymi samymi rękami, którymi jeszcze przed chwilą mieli odrę i rotawirusa.

— Cóż, muszę lecieć, strasznie tu duszno. Poza tym muszę się pakować.

— Ja też muszę lecieć!

(Mam spotkanie w Klubie Anonimowych Joanneholików — mogła jej wtedy powiedzieć. — Z trenerem będziemy pracować dziś nad tym, żebym przestała wąchać twój sweter, który u mnie kiedyś zostawiłaś).

Wróciła do domu i odgrzebała swój czepek kąpielowy. Zmierzyła go w lustrze i po policzkach stoczyły jej się łzy. Za chwilę ryczała już na całego. Cała się trzęsła, nie wiedziała, co się z nią dzieje. Nie, nie wyglądała wcale jak orzeszek ziemny, wyglądała jak rozhisteryzowany płód! Joanne musiała zepsuć jej wszystko, podeptać każdą najdrobniejszą radość. Zatruć ją, okraść ze szczęścia! Zniszczyć jej przemianę. Tak, zniszczyła jej przemianę! „Nic się nie zmieniłaś, to soczewki!" A więc to dla niej było nic? Cała jej praca nad sobą, wszystkie jej wysiłki, zakupy, staranne odżywianie płonęły teraz hurtem na stercie jednego „nic się nie zmieniłaś". Stały jej w oczach te jej odrosty, ten krzywo położony make-up, niedbale wydepilowana górna warga, kostium kąpielowy ze SpongeBobem, którym Jo wywijała jej przed nosem! Czuła, że zaraz wybuchnie, że zacznie wrzeszczeć, tłuc głową w ścianę, zrywać zasłony.

Wreszcie, nie zdjąwszy nawet czepka, z łazienkowej szafki wyciągnęła żyletkę i starannie ją zdezynfekowała. Chwilę myślała nad właściwym miejscem, a potem zaczęła ciągnąć nią wzdłuż tyłu nogi w dół uda i dalej po łydce, tak że wyglądało to jak szew. Skóra stawiała opór i wydawała chrobot, od którego ją mdliło i skamlała z bólu i z żalu, w końcu... w końcu przecinała samą siebie! Jednak właśnie o to jej chodziło. Przeciąć siebie — w końcu to była JEJ ona, JEJ ja, mogła zrobić z nią, co chciała, mogła oberżnąć sobie głowę i postawić na kredensie, „Zgadnijcie, za ile ją kupiłam? No, zgadnijcie?" — pytać wszystkich, jeśli przyjdzie jej na to ochota. — Dostałam za darmo! Siedziała na mnie, gdy się urodziłam!"

Nikt jej nie zakaże! Nikt nie będzie jej mówił, co ma robić, nikt nie będzie więcej ciągał jej za nos po kątach! Tnie siebie, ba, tnie swoją matkę... swoją babcię... tnie Joanne i cały świat. Oddaje życie do reklamacji! To będzie ULGA... ulga... banalny, łatwy do zlokalizowania ból fizyczny przyniesie gwałtowne wyzwolenie od tego wewnętrznego, bezgranicznego, który wylewa się z serca i topi każdą komórkę rozsądku; nacięcia będą krwawiły i syczały, gdy będzie polewała je wodą utlenioną i... i...

Pewnie zrobiłaby to, tak, była gotowa, stało jej już to w oczach, ale na nieszczęście coś podkusiło ją, by spojrzeć w lustro. Zobaczyła swoją czerwoną, pokrytą mazami smarków twarz w czepku kąpielowym, a niedorzeczność tego widoku obezwładniła ją w ułamku sekundy. Skóra okazała się gruba i oporna i udało jej się wydłubać wyłącznie dwa niewielkie nacięcia. Zawinęła żyletkę w papier toaletowy i ukryła na samym dnie worka ze śmieciami.

Rozdział 11

Powietrze pachniało słono. Przeszła przez plażę i weszła do wody, zimnej, zielonej, słonej, bezkresnej. Zanurkowała i płynęła, a fakt, że dawno była głęboko, bez dostępu powietrza, nie robił jej żadnej różnicy — aż sama się dziwiła, jakie to łatwe, oddychała zupełnie normalnie, mimo że schodziła głębiej i głębiej — co to za ściema z całym sprzętem??? Ludzie zrobią wszystko, żeby coś kupić — myślała, mijając rafy koralowe, wytryskujące z nich ławice tęczowych rybek, przepływające stare frytki i reklamówki. — Tak naprawdę w wodzie jest mnóstwo tlenu.

Im głębiej, tym robiło się ciemniej, i nim się spostrzegła, była już przy dnie oceanu. To musiało być gdzieś tutaj — pomyślała z przekonaniem, patrząc na stare pralki, kawałki desek surfingowych i kadłubów zatopionych statków, butelki po Jacku Danielsie, wśród których, jak bezdomni, myszkowały wyniszczone, podtrute syreny.

— Szukasz kogoś? — spytała ją jedna z nich, podpływając. Miała ochrypły głos, kalifornijski akcent i rozbiegane oczy dworcowej oszustki. Musiała być kiedyś ładna; miała czarne oczy i zepsutą od trądziku cerę; jej włosy zawiązane były siatką z K-martu. — Mogę ci pomóc.

— Szukam odpływu całego oceanu... — powiedziała Fah.

— Czego?

— Odpływu oceanu. Wiesz, gdzie to jest?

— Upław? — powtórzyła tamta bez przekonania i Farah spostrzegła jej ogon, chory, obłupany z łusek, pozalepiany brudnymi plastrami, spod których widać było zaognione, chore tkanki. — No jasne. To bardzo niedaleko.

— Gdzie?

— Powiem ci, jak mi dasz litr wódki.

— Nie mam wódki.

Co miała zrobić? Przed jej oczami przepłynął akurat rozmoczony, porwany widocznie przez fale numer „Yogalife". Schwyciła go i rozlepiwszy zbrylone strony, przeczytała dość nieczytelny, ale szokujący artykuł o tym niepokojącym zjawisku...

„...przez które syrenom grozi wyginięcie. Opanowane fascynacją ludźmi i ich światem, dziesiątki tych stworzeń opływają rokrocznie całe nabrzeże, znosząc do swoich siedzib wszystko, co wyrzucą ludzie, konstruując na dnie oceanu przedziwne, mające imitować ludzki świat koczowiska. Budują je między innymi z czarnych skrzynek rozbitych samolotów, puszek po coca-coli, starych butów, drutu kolczastego i kawałków pianek do windsurfingu. Zakładają porwane przez fale góry od kostiumów, próbują wtykać na koniec ogona zdeparowane klapki i zmiecione przez ocean okulary przeciwsłoneczne. Wiele lat policje wodne milczeniem zbywały fakt zwodzenia i porywania przez nie skłonnych do brawury plażowi-

czów, a zwłaszcza nurków, w których wymyte przez wodę, pozbawione już rysów twarze potrafią potem wpatrywać się one miłośnie całymi dniami, gładząc je i zasypując pocałunkami. Równie tragicznym zjawiskiem jest uzależnianie się przez nie od resztek heroiny w strzykawkach, które ludzie wrzucają do rzek, a także wysysanie z butelek ostatnich kropli wysokoprocentowego alkoholu, który działa na ich organizmy szczególnie silnie i uzależniająco, przez co ponad pięćdziesiąt procent z nich...”

— Fajne spodnie — powiedziała syrena, macając tkaninę pidżamy. — Jak mi je dasz, pokażę ci, gdzie jest odpław.

Z dziecięcym zachwytem wciągnęła na ręce nogawki pidżamy Farah i wślizgnęła się w ciemnoturkusową toń. Mimo wyniszczenia i faktu, że jej ogon zginał się tylko w jedną stronę, pływała o niebo prędzej i sprawniej niż Fah, która raz po raz zostawała w tyle. Czuła się okropnie bez spodni, które musiała oddać — ocean wpływał jej ciągle do środka i wypadał ustami, a małe rybki i nakrętki od fanty łaskotały ją w jajniki i płuca. Zdawało jej się, że ciągle słyszy „goła dupa!”, „goła dupa!”, nie wiedziała jednak, skąd te prostackie pohukiwania mogą pochodzić, prawdopodobnie były to zresztą zdegenerowane od alkoholu koniki morskie. Wreszcie zatrzymała się bezradna, dysząc i opierając się o kadłub zgniecionej motorówki. Czekała. Po chwili syrena wypłynęła zza wielkiej rafy. Spodnie zawiązane miała na głowie na wielką kokardę. Za jej ogonem ciągnęło się kłębowisko starych, nieczynnych lampek choinkowych.

— Zasięgnęłam tylko języka. Jeśli chodzi o ten twój... nie wiem, czego tam szukasz — powiedziała syrena. — To prawdopodobnie jest gdzieś tu.

Mówiąc to, machnęła ręką trochę w lewo i trochę w prawo.

— Gdzie? — spytała Farah bezradnie, rozglądając się po wszechobecnej kupie śmieci.

— Tu! — zirytowała się syrena, tym razem wykonując gesty w tył i przód. — Nie mam czasu w nieskończoność ci pokazywać, powiedziałam, że pokażę ci, gdzie jest, nie — że będę go z tobą szukać.

— W takim razie oddaj moje spodnie.

— Nie mogę.

— Dlaczego?

— Są mocno zawiązane. Poza tym obiecałam je siostrze, będzie niedługo znosić jaja. Choć ona mówi, że są całe zakrwawione i do niczego się nie nadają.

Przez resztę snu Farah grzebała dłońmi w piasku, raz po raz natykając się na spinki, pierścionki, sztuczne zęby i wałki. Wreszcie nad ranem znalazła koreczek na zardzewiałym łańcuszku. Szarpnęła go. Woda momentalnie zaczęła wirować, bulgotać i schodzić, schodzić, schodzić z oceanu coraz prędzej i prędzej, i prędzej...

I pomyśleć, że wszystko to poszło na konto biednego Jeda, który nie wiedział, o czym śnił tej nocy, bo był na to zbyt pijany. Obudziła się na wpół naga; dół od pidżamy leżał w przedpokoju.

Rozdział 12

I co jej strzeliło do głowy, żeby jednak POJECHAĆ na ten wernisaż?

Chyba to, że był piątek. Piątek! Strzeżcie się wszyscy niepijący, niepalący, nieatrakcyjni seksualnie, neurotyczni, zaburzeni, pogrążeni w depresjach, nieposiadający na Facebooku pięciu milionów przyjaciół. Starzy, karmiący piersią i niemogący przez to się nawalić, nieposiadający lamborghini, grubi, niekorzystnie wyglądający w składających się wyłącznie z ramiączek sukienkach i spodenkach uszytych z samego paska. Kryjcie się: nieopaleni, nieposypani brokatem, nieumiejący piszczeć, ciężarni, poruszający się na wózkach, ci z cellulitem i nadmierną potliwością, bulimicy, chcący w spokoju pustoszyć lodówkę, pracoholicy, muszący napisać dodatkowy, niepotrzebny nikomu do niczego raport, komputerowcy, napierdalający mutanty pikselową maczugą i wszelkiej innej maści kopciuchy i frajerzy. Albo po prostu zjedzcie kilo bordaxu, zamknijcie okna, zaciągnijcie zasłony i umieściwszy stopery w swoich niewytrymowanych uszach, śpijcie twardym snem, nie poddając się terrorowi szalonej piątkowej zabawy.

Mnie to wpędza w depresję. Miasto zaczyna się trząść już koło osiemnastej, a potem buzuje aż do nocy, pełne przekrzykiwań, pisków, głupich śmiechów, łamiących się obcasów, brzęku butelek, strzelających korków od szampana, koki zasysanej z desek klozetowych i naciąganych na członki prezerwatyw... Przerabianie przez cały tydzień swojego jedynego, niepowtarzalnego, nieubłagalnie mijającego życia na pieniądze musi skończyć się głupawką, zwierzęcym wrzaskiem „mam prawo do odrobiny wolności!!!". Nawet jeśli ta hektyczna, hurtem realizowana wolność, która musi wystarczyć na cały kolejny tydzień, oznacza prawo do swobodnego robienia z siebie palanta, darcia śluzówki genitaliów na strzępy i do spania potem z głową w sraczu.

— Nie idziesz dziś z nami na karaoke? Może być śmiesznie! — krzyknęła za nią Ingeborg z sekretariatu, niby to niewinnie; jednak w jej głosie, Farah mogła przysiąc, był przekąs, sugestia, że Farah NIGDY nigdzie nie chodzi.
— Raczej nie. Muszę...
— Pilnujesz bratanka?
— Nie, dlaczego niby miałabym go pilnować?

Farah przystanęła. Wręcz zawróciła! Czemu się do niej przyczepiają? O co jej chodziło z tym bratankiem? A więc ta biedna Farah, ta socjalna kaleka, może tylko pilnować cudze bachory? Nawet jeśli wcale tego nie robi i tylko tak mówi, żeby nie chodzić co piątek na to durne, żenujące karaoke?
Banda straceńców — myślała Farah z pogardą, nagle powziętą nienawiścią. Co piątek rezerwowali salę w ja-

pońskiej knajpie, zawsze na nazwisko „Pan Dupa", co co piątek okazywało się dokładnie tak samo śmieszne — BARDZO ŚMIESZNE. Już od rana zaśmiewali się z tego pysznego dowcipu do łez. Jechali tam po pracy dwiema taksówkami; pierwsze pół wieczoru poświęcali na rozmowę o tym, co kto napisał i przeczytał na Facebooku, by wreszcie schlać się i drzeć jak stare gacie do 24.00, aż w sali śmierdziało nie do wytrzymania potem. Cóż, w końcu czerstwych przygód musiało wystarczyć na cały tydzień opowiadania podczas lunchu i duszenia się ze śmiechu (I wtedy Jake mówi: Gdzie jest mój kieliszek? TRZYMAJĄC GO W RĘKU!!!) (A pamiętacie, jak Joe pomylił się i wszedł do damskiej toalety??? Nie mógł za grosz zrozumieć, co się stało, dopóki ten śmieszny japoński kibelek nie wystrzelił mu nagle w twarz!!!). Oczywiście mówili o tym tym głośniej i barwniej, im bardziej o 24.15 wszyscy byli już w swoich łóżeczkach, wysmarowani od stóp do głów kremem na suche pięty.

„Piątek — żmudna, zwariowana zabawa w gronie współpracowników — cztery godziny" — mogli odhaczyć to w kalendarzu i przejść do kolejnych pilnych obowiązków.

Rzecz jasna, Farah jeszcze wtedy nie miała zamiaru iść na żaden idiotyczny wernisaż. Tak tylko powiedziała, żeby zamknąć tej durnowatej Ingeborg usta. Ledwie jednak weszła do domu, do drzwi zadzwonił dzwonek. Wyjrzała przez wizjer. To był ten sąsiad, którego poznała w pralni, ten od psychotropów i perfekcyjnych stanów umysłu.

Dobrym pomysłem było, żeby mu po prostu nie otworzyć. Ale trzeba było jej to powiedzieć, zanim wpadła już na inny, ten, który leżał dużo bliżej.

— Słucham? — powiedziała.

— Jest koniec świata, ewakuują budynek.

To byłoby chyba jedyne, co mogłoby w jakikolwiek sposób uzasadnić jego tu przyjście.

— Cześć — powiedział zamiast tego z tym charakterystycznym mozołem.

— Cześć — odpowiedziała Farah.

— Myślałem, że jesteś jeszcze w pracy — wyjaśnił.

— I dlatego tu przyszedłeś? — spytała podejrzliwie.

— Mam do ciebie sprawę, mogę wejść?

— Nie bardzo.

— Dlaczego?

— Bo właśnie wychodzę.

— Jak to? Przecież jest piątek.

— No właśnie! Idę na wernisaż.

— Zajmę ci tylko chwilę. Mój lekarz sugeruje, że mógłbym w piątki gdzieś wychodzić. To byłaby część terapii. To byłby powolny, kontrolowany powrót do normalnego życia. Mógłbym stopniowo, bardzo delikatnie, łagodnie wycofywać się z farmaceutyków, choć prawdopodobnie będę brał je do końca życia. Oczywiście od razu powiedziałem, że to raczej niemożliwe, że nikogo przecież nie znam, przez nocny tryb życia nie mam wielu znajomych. Ale on powiedział, żebym po prostu rozejrzał się wokół, na pewno jest obok mnie ktoś samotny, w podobnej sytuacji jak ja, może nawet gorszej, kto też nie ma gdzie pójść i tylko czeka na takie zaproszenie, więc...

(Jasne. Na co pójdziemy? NA *KRWAWY OJCZYM 2*? Na *ZJEDZ MÓJ MÓZG CHOCHLĄ, TYLKO SIĘ NIE ZACHLAP*? — mogła odpowiedzieć mu wtedy Fah. — Na *KOCHANIE, ZABIŁEM NASZE KOTY*?)

Oczywiście wpadła na to dopiero teraz, gdy stała sama przed tą popieprzoną galerią.

— Hej, uważaj, jak stoisz! — krzyknął właśnie jakiś dzieciak i dopiero teraz usłyszała charakterystyczny grzechot deskorolki o asfalt, której zbliżanie się jej uszy owszem rejestrowały od dłuższej chwili, ale tak jakby będąc uszami kogoś innego. Z zamyślenia ocknęła się dopiero szarpnięta przez masę powietrza, którą za sobą ciągnął. Na niebie rozciągała się wielka różowawa plandeka wieczoru, z daleka dochodził pogłos jakiegoś koncertu i radosne piski gawiedzi. W dłoni miała kubeczek kwaśnego wina, po którym śmierdziało z ust. W powietrzu jak babie lato ciągnęły się błękitne nitki marihuanowego swądu.

Autobus jechał tu ponad godzinę; smętnym wzrokiem ślizgała się po mijanych osiedlach, upstrzonych pierwszymi zapalanymi w kuchniach światłami, samochodach zdeformowanych w wypadkach, trzęsących się od rozkręconego na full hip-hopu i boiskach do koszykówki, wybudowanych przez burmistrza w przedwyborczej histerii, na których teraz tylko warstwy żółtych liści grały w „zaczynamy już gnić".

Wmieszała się w grupkę zwariowanych odszczepieńców. Ze swoimi wełnianymi, memłanymi wciąż w palcach brodami wyglądali, jakby całkiem na świeżo obrabowali stado kóz, a teraz wspólnie radowali się sprawiedliwie podzielonymi łupami. Któryś z nich podał Farah skręta, ale potem, gdy powiedziała mu szczerze, że nie nazywa się Tracy, zabrał go, a F. znowu stała sama, obserwując staruszki z aparatami słuchowymi. Choć trudno im było ukryć, że ze wszystkich eksponatów najbardziej zafrapowały je darmowe snacki, to zaraz po konsumpcji, by nie zostawiać twórcy z niczym, uczciwie obeszły wystawę, wygłaszając parę donośnych, nieraniących nikogo opinii („to zastanawiające", „i takie nietypowe!").

Uderzająca w mieszczańskie przywiązanie do konwencji i tych małych obłudnych rytuałów ekspozycja przedstawiała między innymi pocięte kawałki pościeli. Zdawały się one krzyczeć „Nie, nie, kochani, jeśli myślicie, że robić sztukę to znaczy malować przez trzydzieści lat grubą babę z dzieckiem i ze skąpanymi w słońcu arkadami w tle, to grubo się mylicie. Lepiej przez trzydzieści sekund pociąć pościel na kawałki, a resztę tego czasu przeznaczyć na palenie gandzi, mamrotanie pod nosem, śmianie się z filmików na Youtubie i wchodzenie na znaki drogowe".

Był też rower obwieszony gumowymi winogronami z napisem „Guantanamo" i nocnik, w którym leżała kupka niemowlęcia z puszystej włóczki bouclé.

Nie miała pojęcia, kim są ludzie wokół. Nie potrafiła ich nigdzie przyszeregować. Szczerze mówiąc, wyglądali, jakby wysmarowani klejem zanurkowali w kontenerze z odzieżą dla biednych. Jednak kto modny dziś tak nie wygląda? Jedyną osobą, która próbowała nawiązać z Farah kontakt, okazał się niechlujny, potargany facet z piersiami.

— Czy lubiłaś tę wystawę? — spytał wysokim głosem, a pokaźny strzęp sałaty rzymskiej wiszący w kąciku jego ust świadczył, że przed podjęciem dyskusji pokrzepił się, okrasiwszy też w ten sposób wygłaszane opinie intensywnym zapachem wędzonego łososia. Fakt, że mu nie odpowiedziała, bynajmniej go nie skrępował. — W mojej opinii jest ona ekstremalnie polityczna. Nie można dłużej milczeć... słyszałaś kiedyś o ludziach-jaszczurach?

Hej?

Nic nie zmieni się już nigdy — pomyślała, nieczuła zupełnie na fakt, że radykalne refleksje z użyciem tak grubych słów najlepiej zostawić głupcom. Niech wypowiadają je sobie w czarne godziny, podczas gdy wszystkie słyszące je atomy rzeczywistości z czystej przekory już przeszeregowują się, odwracają ogonkami i zaczynają zmierzać w zupełnie przeciwną stronę.

— Masz może fajki?

Z początku myślała, że to jakiś chłopiec.
— Palisz? — powiedział ten, będąc dziewczyną.
— Właściwie to... — powiedziała Fah, gapiąc się na jej włosy potępieńczo ostrzyżone przy samej skórze.
— Jesteś tu sama?— spytała natychmiast tamta, jakby chciała powiedzieć: „Och, nie zaprzątajmy sobie głowy twoimi głupimi odpowiedziami!" Rozglądała się przy tym bezustannie wokół, jak to osoby, które na kogoś czekają, nie zdecydowały się tylko jeszcze na kogo, więc muszą ciągle sprawdzać, czy nie ma go gdzieś przypadkiem w okolicy.
— Nieważne. Palisz?
Miała bolec w nosie, jazzowe skarpetki w tęczowe paski i wyliniały rudy kołnierz wyłożony bezpośrednio na męską koszulę. Szyję miała trochę brudną, jednak niechbyś tylko jej to wytknął, na pewno okazałoby się, że to część stylizacji, modna dopiero za dwa sezony, o czym ty, elegancie z koziej pały, oczywiście nie wiesz!

— Znasz Petera? — powiedziała zaraz i przydybawszy kogoś z papierosami, włożyła jednego do ust sobie i jednego Farah.
— Nie — przyznała Farah.
— Nie znasz tego gościa, co to wszystko zrobił? Peter, on jest zupełnie kultowy. Kuruje całą naszą wystawę! To

jego galeria. Spałam kiedyś u niego na klatce... To znaczy na korytarzu. Przedstawić cię mu? Peter? Peter! to jest... jak masz na imię? To jest dziewczyna, którą właśnie poznałam. Nieważne, nie słyszy nas. Może przypadlibyście sobie do gustu.

— Naprawdę? — spytała Farah, by powiedzieć cokolwiek, gasząc ku własnemu zdumieniu papierosa o podeszwę, co widziała kiedyś w jakimś filmie.

— A to obok to jego dziewczyna, Dominique — powiedziała dziewczyna, wskazując tego gościa z piersiami, który zagadywał wcześniej Farah o ludzi-jaszczurów. — Świetnie gra na oboju.

— Nieźle — powiedziała Fah.

— No dobra, miło było poznać. Muszę trochę się pokręcić, jest tu parę osób przez duże O. Przymilanie się do ważniaków — oto los artysty.

— To znaczy, że twoje prace...? — spytała jeszcze Farah, bo bardzo nie chciała, by dziewczyna odchodziła.

— Można tak powiedzieć — powiedziała tamta.

— Które to?

— Widziałaś ulotki?

— Tak.

— Ja je zaprojektowałam. O, to Jasper! Jasper?

Farah wodziła za jej chaotycznymi działaniami niepewnym wzrokiem. Wszystko działo się tak szybko, dane przychodziły jedna za drugą, niepowiązane w pary ani choćby pęczki. Jasper przekuśtykał koło nich jak twarz kampanii społecznej „Lekkie narkotyki również szkodzą".

— Znam go jeszcze sprzed roku. Nasze kurtki wisiały w szatni na jednym haczyku na koncercie The Fires.

— Naprawdę? — powiedziała Farah, bo tylko to przychodziło jej do głowy.

— Tak. Idę do kibla. Jak chcesz, możesz iść ze mną.
— Dlaczego nie?

Za chwilę już pchała się za dziewczyną przez coś, co tylko z racji niewielkich rozmiarów galerii Lizard's Stomach można było nazwać tłumem.

— Poznam cię ze wszystkimi, chcesz? — powiedziała tamta.

„Wszyscy" okazali się w dużej mierze brodatym mężczyzną, tym, który wcześniej zaklasyfikował ją jako Tracy (O rany, to ty! — powiedział, a jego usta rozjechały się w uśmiechu: jego piętnastominutowe cykle umysłowe ewidentnie pozwalały mu doświadczać tych samych rzeczy ciągle na nowo), i paroma innymi łupieżcami kóz, którzy nawet nie powiedzieli jej swoich imion — być może sami nie byli ich już do końca pewni. W rekompensacie powitali ją wylewnie, wyciskając na jej ustach kwaśne, soczyste, pachnące starym druidem pocałunki. Mogłoby się zdawać, że bardzo się za nią stęsknili, gdy tak latami nigdy jej nie znali. „Farah" — szeptała nieprzyzwyczajona do takiej bezpośredniości i...

— JAK?! — krzyknęła Go zza drzwi sanitariatu z perlistym potokiem moczu jako tłem.

— Farah — powiedziała, przełykając ze wstydu ślinę. — Ale mów mi Fah.

— O rany. I nie wołali na ciebie w podstawówce Farah Facet?

— Tak — przyznała Farah, czerwieniąc się. — Albo Farsz. Potem zawsze się już tak czułam. Jak farsz do indyka.

— To było chyba do przewidzenia. Ale widać nie dla twojej matki. Co w ogóle robisz... FARAH?

— Pracuję w... — powiedziała Farah.

— Ja też pracuję. To znaczy bujam się trochę to tu, to tam. Odkąd rozstałam się z Chrisem, nie mogę usiedzieć. To znaczy mieszkamy razem, ale potrzebuję jakiegoś zajęcia. Zatrudniłam się teraz w Mr Foods na St. Patrick's. To niezły odpał, wesoła ekipa. Sama jeszcze nie wiem, jaka dziedzina sztuki najbardziej mnie interesuje. Ciągnie mnie do zbyt wielu rzeczy. Teoretycznie mogłabym pisać, mogłabym malować, mogłabym być performerką, chodziłam do szkoły wideo. Ale teoretycznie. Do niczego nie mam cierpliwości. Wszystko mnie nudzi po dwóch minutach. Zaczynam rysować obraz i zaraz patrzę przez okno, słyszę wpadające dźwięki miasta i już bym gdzieś szła, już bym żyła z powrotem, a nie siedziała i rysowała jakiś głupi obraz. Piszę opowiadanie i po jednym zdaniu myślę sobie: hejże, nie będę tu siedzieć jak głupia i opisywać czegoś, co w ogóle nie istniało, skoro wokół jest tyle ciekawszych rzeczy: koncertów, wystaw i zwariowanych popijawek, które w najlepsze sobie ISTNIEJĄ, a mnie na nich nie ma, rozumiesz? Jestem logiczną osobą, potrzebuję konkretu.

Kon-kre-tu — tak to mniej więcej zaakcentowała.

— Jestem zbyt racjonalna. Poza tym, na dobrą sprawę — ciągnęła, gdy przepychały się do baru — wiesz, co odstręcza mnie od tworzenia? To, że każdy jeden chłopek-roztropek może nagle zostać artystą. Weźmie toto pęczek bazylii, wetknie sobie w cewkę moczową i robi wokół wielkie halo, że to jest jego porąbane dzieciństwo! Dlatego moja sztuka, którą robię, to właśnie te ulotki, które projektuję. To mój imperatyw: szybko się je robi i nie trzeba się godzinami namyślać, jaką wielką uniwersalną myśl o życiu ludzi na Ziemi wmawiać ludziom, że się w nich zawarło! Co pijesz?
— Biowater C — powiedziała Farah do barmanki.

— Zwariowałaś?! Bierzemy dwie podwójne na skałach.

Działały sprawnie, szybko, bez celu. — Hej, Tracy, ślicznotko — powiedział brodaty chłopak, podając Farah skręta; migdałowate oczy dziewczyny uśmiechnęły się do niej przez dym; zamówiły następną kolejkę whisky, popiły ją piwem, które ktoś dał im do potrzymania, Dominique grała na oboju. Widziała, jak dziewczyna bierze od kogoś papierosa i zakłada sobie za ucho. Z każdym drinkiem Farah była bardziej zaskoczona, bardziej urzeczona, że taka kompletnie zbzikowana... taka... taka...

— Nie mówiłam ci, jak mam na imię? — spytała Go. — Kompletnie zdziwisz się. Mam na imię Go.

— Go?

— Gosza. Ale spróbuj mieć na imię Gosza. Nikt tego nie może wymówić, zostało tylko Go. Więc mam na imię Iść — westchnęła. — Chociaż chyba jednak mam na imię Idź. Chris zrozumiał to dość dosłownie i nie zrobił nic innego, tylko odszedł. Oczywiście bardzo pomógł mu w tym ten wafel, ten artysta z koziej pałki.

— Czym on się zajmuje? — spytała Farah, ta tygrysica konwersacji.

— Rzecz jasna sztuką. Ale jak chcesz obcować z jego niepowtarzalnymi dziełami, nie marnuj czasu i kasy na metro. Weź parę brudnych patyczków do uszu i namaluj kutasa ołówkiem z Ikei. I przeleć jakiegoś ważniaka z wyliniałą bródką, żeby tylko stał przy tym i powtarzał „Hm, to niezwykłe zderzenie dojrzałego przekazu z infantylną estetyką odpadu i bazgrołu" albo „W regresywnym cudzysłowie artysta umieszcza traumatyczne doświadczenie cielesnego zbliżenia".

Ale powstrzymaj mnie, jeśli tylko znowu zacznę o tym gadać. To miał być mój Wieczór-Bez-Chrisa. Jednak kiedy tylko mówię „To mój zajebisty, zwariowany Wieczór-Bez-Chrisa", to od razu staje mi w oczach wiadomo kto i zaczyna być to mój niezajebisty, podły Wieczór-Bez-Chrisa-Ale-Mimo-To-Z-Chrisem, czyli najgorszy, najgorszy rodzaj wieczoru, jaki może mi się przydarzyć. Chcesz? Pozlewałam nam wino, pełno osób nie dopiło. Nie można dopuścić do takiej niegospodarności w Princetown w czasach, gdy alkohol tak poszedł w górę!

Fah posłusznie wypiła kilka podanych jej kubeczków mało wykwintnego trunku mało wykwintnym duszkiem. Bez cackania się; ten trick pokazywali jej nieraz piraci przy rozpijaniu dwustuprocentowego spirytusu z ludzkich czaszek. Wiedziała tylko, że nie chce wcale iść do domu, nawet jeśli jutro w drodze do pracy worki pod oczami będą się jej plątać pod nogami. Znacie te charakterystyczne momenty, kiedy trzymacie się histerycznie jakiejś chwili, nie chcąc wypuścić jej w przeszłość: chcecie sobie ją nagrać, zabrać, puszczać w kółko, nieważne, że wasz magnetofon lada chwila zamieni się w dynię, kaseta w kalarepę, a wasza szpanerska koszulka z Sex Pistols w poplamioną łojem ścierkę do naczyń.

Och, niechby ją widziała teraz Joanne! Roześmianą, a przynajmniej... uśmiechniętą, gadającą... no... słuchającą... otoczoną przez... a w każdym razie STOJĄCĄ NIEOPODAL bohemy. Ją, tę biedną, głupią Farah; po prostu spaliłaby się z zazdrości! Zepchnęłaby hungarystę z patio, aż stoczyłby się po urwisku prosto do oceanu, gdzie wygłodniałe syreny rozszarpałyby go na strzępy. Pochowałyby się po kątach i wrakach jachtów, zabawiałyby się resztę dnia, pieszcząc się jego sczerniałymi rękami. Joanne zaś zawróciłaby pinto i pędziła na łeb na szyję, by też tu być, ale... Za późno, Joanne, trzeba było wpaść na to wcześniej.

— Mówiłam ci już o Chrisie i tym jego...? — spytała Go, gdy wychodziły, ale przerwało jej sążniste czknięcie. Jednocześnie wyciągnęła z torebki centymetr krawiecki, kilka starych biletów i jednorazową skarpetkę do mierzenia butów, co wyglądało jak prestidigitatorski trick. — Och, cholera, ten skurczybyk nasikał mi do torebki!

— Co? — spytała jeszcze Farah, zatoczywszy się i złapawszy nosem smugę kociego moczu.

Nagle zrobiło się późno, wszyscy gdzieś się rozpierzchli. Przed galerią walały się zmięte kubki. Gdzieś w oddali błyszczały neony centrum.

— A tak w ogóle: gdzie mieszkasz?

— W Bath — czknęła Farah.

— W Bath? — czknęła Go, usiłując złapać taksówkę. — A na jakiej ulicy? Złapię taksę. Nie chce ci się chyba tłuc tymi okropnymi autobusami, pełnymi nieprawdopodobnych bezdomnych i ich starych wieszaków?

Czy ja zwariowałam? — próbowała dociec Farah. To były jeszcze resztki jej przytomności, absolutne niedobitki. Taksówka do Bath będzie kosztować z siedemdziesiąt dolców. Go zaś zatrzymuje już żółtego vana, spokojnie wyglądając sobie na osobę, która ma w torebce siedemdziesiąt centów, siedemdziesiąt papierków po gumie do żucia i siedemdziesiąt prezerwatyw, ale to wszystko, czego ma siedemdziesiąt i... i...

— Do Bath — mówi już jednak taksówkarzowi, głośno bekając. — Przejadę się z tobą, mam tam niedaleko znajomych.

Mówiąc to, nakłada na głowę byle jak duży słomkowy kapelusz z woalką, który wyciągnęła nagle nie wiadomo skąd. — Nie wiem, co mnie wzięło. Rąbnęłam to z tej popapranej wystawy. Przyda mi się na tegoroczny zbiór bawełny.

— A ty, jak znam życie, pójdziesz w tym — mówi, obwijając szyję Fah swoim futrzanym kołnierzem.

Po czym zaczyna rechotać, pękać ze śmiechu. Fah śmieje się jeszcze chwilę z nią, ale... Nagle dochodzi do niej, że jej to aż tak nie śmieszy. Znacznie mniej, może nawet wcale a wcale! O co właściwie tej Go chodzi? Śmieje się z niej, Fah ma wrażenie, że ten śmiech jest wszędzie, że atakuje ją jak stado mew bezbronną starą kanapkę. Go obnaża drapieżne ząbki, wcześniej perłowobiałe, teraz zabarwione na czarno winem. Wygląda wstrętnie, jak chore na wściekliznę dziecko.

Fah nie czuje się już taka szczęśliwa, taka zachwycona. Czuje podły zapach tapicerki i kociego moczu, czuje własną obcość. Zarazem jakby tęsknotę za Go, która siedzi obok, zamiast być Farah razem z Farah i pomóc jej wyjąć z torebki ten cholerny żel antybakteryjny. Patrzy na mijaną właśnie przez taksówkę rafinerię i te światła skaczą w jej oczach jak małe, nienarodzone jeszcze żabki, być może zresztą to po prostu bakterie. Na jej szyi siedzi martwe zwierzę, w ustach ma niedobry posmak i choroby z ust jakichś obcych ludzi, które odkładają się na jej języku w postaci gęstego kożuszka. Bardzo chce splunąć, co gorsza, chyba to robi.

— Wiem, że przesadzałam — mówi cały czas Go. — Wiem, że za bardzo go kochałam, strasznie, obsesyjnie, strasznie, jak nikt nie kocha. Dlaczego więc on to zrobił? Dlaczego puścił mnie dla takiego małego śmierdziela? Mieszkamy razem, ale on nienawidzi mnie jak psa, wygaduje na mnie za plecami, nic mu we mnie nie pasuje, na czele z tym, że jestem z Polski. To taki kraj w byłej Jugosławii, może słyszałaś. Gdy byłam bardzo mała, wybuchł tam kompletny komunizm. Moje dzieciństwo było przez to nieźle rąbnięte. Dlatego może taka jestem.

Pokazać ci tatuaż? Tutaj. W pachwinie. Orzeł. Nie wiem, dlaczego pomyślałam, że to najlepsze miejsce, to był impuls. Chodzę na brazylianę, ale nie mam do tego przekonania. Za każdym razem mam wrażenie, że ta baba wyrwie mi raz całą cipę z korzeniami. Jak tam? Wszystko z tobą w porządku? Hej?

— Tak — szepcze Farah cichutko, może nawet niesłyszalnie. Wyobraża sobie korzenie cipy, co nie jest wcale miłe. Są wielkie, rozrośnięte, czerwone; sięgają głęboko, ssąc soki; przesłaniają jej wszystko, wszystko inne.

— Zobacz, jakie mam ręce — mówi Go, dotykając jej szyi. — Szorstkie, to przez to Mr Foods. Porada cioci Go: nigdy tam nie jedz mac'n'cheesa. A w ogóle: nic, co zawiera choć cień beszamelu. Jeśli już łykać spermę, to tylko osób, które się zna. A przynajmniej lubi. O matko, chyba nie zamierzasz...???

Niech pan się zatrzyma! Pan się zatrzyma!

Rozdział 13

Nie powinien tyle aż doliczać. Tacy są właśnie Arabowie. Narzygałaś prawie tylko na siebie, a on musi nagle robić czyszczenie całej tapicerki i mycie karoserii z nabłyszczaniem! Powiedziałam mu, że go zgłoszę do Federacji Konsumentów. Och, niech zresztą sobie wsadzi. Pieniądze są kompletnie niemodne.

Kościół, kościoły są takie romantyczne, cudownie nonsensowne. Mam totalnie religijną fazę. Byłam buddystką, ale czy to nie staje się ordynarne? Nuda, kogo nie spytasz — „lecę na odosobnienie, przepraszam". Zrobili z tego dodatek do kolonoterapii. Kościół zaczyna mi się podobać. To ponuractwo, to sztywniactwo, te złocenia, kompletny odpał. Tylko nie mogę się zmobilizować, bo w niedzielę zawsze mam najgorszego kaca. Chociaż nie odpowiada mi, że ludzie religijni nie mogą używać gumek. To chore, jak właściwie zabezpieczają się przed AIDS?

Ale uwielbiam zapach kościoła; dlaczego nie zrobią takich perfum? Kadzidło, naftalina, pleśń i oddech starca, to przypomina mi dzieciństwo, ten monstrualny komunizm. Ciągle stoi mi w oczach, jak zdyszana przybiegam z podwórka, otwieram lodówkę, chcę sięgnąć po butelkę mocno zgazowanego root beer, ale stoi tam tylko dzbanek spleśniałej herbaty. Nie mieliśmy takich rzeczy, zapomnij! Jedliśmy prawie wyłącznie pierogi, borszcz, kiełbasę i te takie ich zgniłe ogórki. No i koplatki. Nie pytaj mnie, co to jest, ale to uwielbiałam, ze stopionym masłem. Rodziców prawie nie było w domu, walczyli. Zresztą wszyscy walczyliśmy, my, dzieci, też pomagaliśmy, na ile mogliśmy. Mama odbijała wzywające ludzi do bojkotu systemu ulotki na ksero, dawała nam i rozdawaliśmy je z rodzeństwem w przejściach metra, w centrach handlowych, w szkołach językowych. Wychodziłam na balkon i patrzyłam przez lornetkę na ten cały mur berliński. Ludzie chcieli go przekraczać, przychodzili z drabinami, ciągnikami, ale wszystko na nic. Był ogromnie wysoki, ciągle więc haczyły o niego samoloty i chmury zatrzymywały się u nas, i ciągle padało, kiedy na Zachodzie było ciągle słońce.

Więc jak ten Chrisa wafel teraz mówi mi...

Och przepraszam, zawsze jak się nawalę, to się zaczynam rozklejać...

Tak naprawdę nie mam nic do niego. Nie nienawidzę go w taki oczywisty sposób, w jaki by to zrobiła każda przeciętna osoba na moim miejscu. Akceptuję fakt, że Chris jest poliamoryczny i że muszę przez to tolerować osobę, której nie toleruję, ale to nie znaczy jeszcze, że nie będę myśleć tego, co się rzuca w oczy. Ciągle podważa moją osobę, podważa to, co mówię i robię. Twierdzi, że jestem zaburzona. JA zaburzona, chociaż ze cztery lata chodziłam na terapię! Wystarczy jedna iskra i skaczemy sobie do gardeł. Ostatnio, jak się pokłóciliśmy, wszystko mu wywrzeszczałam, co myślę o nim i jego sztuce, i wybiegłam. Kupiłam butelkę whisky i wsiadłam w pierwsze metro, co przyjechało. Byłam ślepa ze złości, głucha! Ryczałam na cały wagon, pijąc. Dlaczego skoro mój chłopak został nagle ni stąd, ni zowąd pedałem, to musi być właśnie z kimś takim? Chromolone pedzie. Wreszcie weszłam do jakiegoś fryzjera i kazałam oberżnąć sobie włosy do skóry. Byłam w jakimś amoku, nawet nie wiem, jak zapłaciłam, bo nie miałam przy sobie ani grosza! I wtedy...

Hej, słuchasz mnie jeszcze w ogóle? Czy gadam tak do siebie?

Hej?

No nie mogę, Farah, te parę kieliszków kompletnie cię wykończyło. Myślałam, że wpadniemy do tych moich znajomych, co mieszkają tam koło mallu. No, ale w końcu jest tak jak zawsze — pójdę sama. Nie, w porządku, przecież to nie twoja wina. Narka, miło poznać! Tylko nie kwitnij na tej ławce zbyt długo, bo kręci się tu pełno podejrzanych typów.

Rozdział 14

To właśnie tego sobotniego ranka zobaczyłam ją w windzie.

Przyszliśmy tam rano; była może ósma; ósma rano w sobotę to jak minus trzecia rano w normalny dzień, miasto jest jak po wybuchu bomby alkoholowej-płciowej. Nawet psom nie chce się sikać, bo nie chcą w krzakach wdepnąć w zwłoki, zbite butelki i opakowania po prevenie. Sobotnie poranki wpędzają mnie w czarne depresje. Tak samo jak niedzielne wieczory, poniedziałkowe lunche i namolne wtorkowe popołudnia, pełne pogłosu piłki do kosza, płaczu dzieci i dźwięku odsłuchiwania automatycznych sekretarek przez „zagonionych singli". Tak czy siak, agent nieruchomości, który się nami zajmował, twierdził, że pokazanie nam tego mieszkania w dniach i porach mniej idiotycznych jest z jego strony niemożliwe. „A by była szkoda — dodawał. — To istna perełka; ledwie co dostaliśmy zgłoszenie".

Już mniejsza o jego nazwisko. Ale wiecie, jak to jest, gdy ktoś wam od razu nie przypadnie do gustu.

Niby mówi się, by nie sądzić książki po okładce, z drugiej strony dlaczego czasem wystarczy jedno na nią spojrzenie, no, może czasem trzeba dodać krótki rzut oka na stronę tytułową czy ISBN, ale wiecie już z całą pewnością, że nie chcecie mieć tej książki nawet na dnie piwnicy? Nawet na dnie CUDZEJ piwnicy? Nawet jako podstawki pod nogę półki?

Cała tolerancja, całe mentalne Food no bombs zamienia się nagle w jedno wielkie Bombs bombs bombs i no fucking food. Wodzicie po gościu ostrzem kpiącego spojrzenia, a mózg podsuwa wam drobinki niby-to-niewinnych skojarzeń i impresji, z których montujecie zgrabne podzespoły lekko już perfidnych komentarzy. Ani się obejrzycie, a klecicie na jego temat szalbiercze, przesycone jadem narracje, obfitujące w wymyślne okrucieństwa, spienione metafory, plasujące jego istnienie w jednej linii z krewetkami, choć krewetki są czasem przynajmniej smaczne...

— Te panoramiczne okno jest zupełnie specjalne — umizgiwał się ten niczego nieświadomy biedak, otwierając nam drzwi od klatki, podczas gdy ja zastanawiałam się, jako jakie zwierzę się odrodzi. Obstawiałam, że jako chytra mysz, i cieszyłam się na moment, gdy podzielę się tą dedukcją z Ernestem. Już teraz widać było pierwsze przymiarki natury do tej inkarnacji. Liliowa koszula, takiż szalik, brak trójki; reszta zębów również utrzymana w barwach narodowych kawy i herbaty. Kruczą czerń ufarbowanych po latynosku włosów psuły jasne prześwity niedopilnowanych odrostów. W dodatku każdym gestem usiłował zasugerować swoją absolutną niewinność i przykładalność do rany. Tacy właśnie moim zdaniem są najgorsi. W zasłonach dymnych uniżonych gestów, przymilnych wygibasów, niby dwa rentgeny przewiercały wszystko jego znające się na rachunkach oczy. Zdawało się, że do wymiotów może doprowadzić cię swoją usłużnością. Z drugiej strony mogłeś być pewny, że w chwili nieuwagi wystawi cię na aukcji na E-bayu i zgarnie za twoją osobę całkiem niezłe pieniądze, lepsze, niż sam jesteś w stanie zgarnąć za siebie!

— Uwaga, bo może zakręcić się w głowie — uśmiechnął się tajemniczo i szczodrobliwie, wpuszczając nas do środka.

Mieszkanie jak mieszkanie — pusta przestrzeń ze śladami po wyniesionych meblach. Trochę kurzu, wytarta skórzana sofa. Względnie w porządku, w porównaniu z niektórymi, które nam proponowano. Choć rzeczywiście, panorama rozciągająca się z okna była całkiem, całkiem. W dole spora ulica, a dalej, skomplikowane jak wnętrze magnetowidu, panoszyło się całe Bath z tym wielkim centrum handlowym czy multiplexem: o tej porze spowite poranną mgiełką, bezbronne, zdezaktywowane. Mniej więcej do połowy zasłaniał je naprzeciwległy blok, wybudowany jakoś dziwnie blisko; patrząc na te okna, już czuło się w wyobraźni ten specyficzny smrodek oleju i trutki na szczury.

— Z takim widokiem to będzie się pisać, co nie? — mrugnął do mnie agent, zadowolony ze swojej chytrości. Musiał wrzucić nasze nazwiska w Google, gdy wypełniliśmy formularz zgłoszeniowy w biurze pośrednictwa. Na pewno poprosi mnie o autograf w firmowym notesiku. To ten typ, co potem łazi i opowiada, jak to pracuje z pisarzami, do których stopniowo w relacjach dołączają też malarze, doktorzy, żołnierze, by na koniec twierdzić, że znajdował mieszkania w blokach prezydentom, premierom i Dalajlamie...

— No i jest ekspres — dorzucił speszony, wyczuwając pogardliwe spojrzenie, które rzuciłam jego butom ze szpicem. Próbował nawet go włączyć, jednak urządzenie postawione tu tylko dla zagęszczenia widoku, z wielkim kożuchem pleśni pozostawionym w filtrze, pierdnęło bezrefleksyjnie i zgasło, a on wzruszył ramionami.

— Nieznośnie śmierdzi proszkiem na karaluchy — powiedziałam TYLKO do Ernesta.

— Wszędzie jest blisko — zasugerował tenże pojednawczo, nieuleczalny Pan Tylko-Się-Nie-Kłóćmy.

— Zależy, co uważasz za „wszędzie" — powiedziałam. — Jeśli sklep z serami i boisko do baseballu to masz rację.

— Za „wszędzie" uważam, że musisz napisać tę cholerną książkę. Nie możemy dłużej siedzieć na kartonach.

Agent wycofał się. Osłabł trochę, zawiedziony moją opryskliwością. Widocznie miał nadzieję, że go polubię, a samo wspomnienie jego czarującej osoby nie będzie dawać mi spokoju. Pewnie wyobrażał sobie, że gdy wyjdzie, zapalę papierosa, z zadumą patrząc w okno, po czym wyjmę spod płaszcza maszynę do pisania i zacznę pisać.

„Pomyśleć, że ten wygadany przystojniaczek był agentem nieruchomości"

albo

„W jego oczach czaił się nieskończony spryt".

Rozdział 15

Powiem krótko — to nie było możliwe. Z różnych względów.

Myślę, że ewentualnie przy moim ówczesnym poziomie pobudliwości twórczej mogłabym napisać samo „POMYŚLEĆ".
Po czym patrzeć na nie trzy godziny, myśląc sobie: gówno, gówno, gówno, która przyzwoita książka nie zaczyna się od „pomyśleć"???

Albo napisałabym tylko: „W jego oczach". I natychmiast przerwała. Gapiłabym się w ekran laptopa, mówiąc sobie „w jego oczach" — to dobre dla Michaela Allena, on jest tandeciarzem jakich mało, pije, ma głupią fryzurę, a wydał już trzecią książkę w ciągu dwóch lat...

Cierpiałam ówcześnie na obstrukcję twórczą wielkiej dokuczliwości. I choć na różne sposoby próbowałam zapalić się do pracy, było to jak próby przejścia przez ścianę: im więcej siły i zaciekłości w to wkładasz, tym więcej przynosi to cierpienia. Pewnie wreszcie zamknęłabym Worda i rzuciła się na kanapę, a moje gorzkie westchnienia wzbudziłyby poczucie winy w umarłym. To na pewno sprowokowałoby jedną z tych charakterystycznych dla ostatniego miesiąca rozmów z Ernestem o boleśnie przewidywalnym przebiegu.

— Co się dzieje? — spytałby, nie odrywając oczu od laptopa.

— Nic się nie dzieje. To nie ma sensu.

— W jakim sensie? — pytał Ernest, stąpając po niepewnym gruncie podzielności uwagi.

— W żadnym sensie — rzucałam, a w oczach zbierały mi się już łzy. — Ta książka jest rozbić o kant dupy.

— Nie wolno ci tak myśleć — mówił on. — Nie możesz tego wiedzieć, dopóki jej nie napiszesz.

— Co przez to chcesz powiedzieć? — spytałam możliwie neutralnie. Ale tylko po to, by pozwolić dojrzeć wzbierającej we mnie lawinie.

— Chcę powiedzieć, że dopiero jak ją napiszesz, będziesz mogła...

— A więc co sugerujesz? — zrywałam się, wykonując gesty desperacji widziane w jakichś serialach. — A co innego całymi dniami robię? Może siedzę przed pustą kartką, przeglądając Facebooka? Albo włóczę się bez sensu po mieście? Do tego zmierzasz? Cóż, może i tak jest. Co więcej, to prawda! A wiesz, dlaczego tak jest? Bo nie mam inspiracji. Jesteśmy zbyt blisko. Duszę się, praktycznie siedzimy sobie na głowie! Przez ciebie się cenzuruję, zafałszowuję rzeczywistość, by to, co piszę, nie było dla ciebie aż tak bolesne!

Czując zaczynające snuć się wokół mnie opary absurdu, usiłowałam nadać swoim wrzaskom pojednawczo-zdroworozsądkowy ton.

— Oczywiście nie zrozum tego źle. Nie chcę powiedzieć, że to, że nie mogę pisać, to twoja wina. Nie masz z tym nic wspólnego, że po prostu mnie rozpraszasz. Taki już jesteś, że jest cię za dużo. Ciebie i tej twojej paplaniny, tych twoich papierów; zobacz, jak tu wygląda! Jak bierzesz DVD, nigdy nie wstawisz na miejsce. W każdym pudełku inna płyta. Biorę Antonioniego, w środku Fellini. Biorę Woody'ego Allena, w środku Pasolini. Wiem, wiem, że starasz się być bezszelestny. Ale to nie pomaga! To wszystko jeszcze pogarsza. Te wygibasy, to bezdźwięczne stawianie kubka na blacie. Ten cały balet, który tu ciągle urządzasz: to stąpanie na paluszkach i przymykanie drzwi! Nie mogę pisać w tych warunkach! Hałas! Zbyt głośne rozmowy sąsiadów. Warcząca klimatyzacja. Duszność. Ciśnienie atmosferyczne. Ciągłe odgłosy windy! Problemy społeczne. Korporacje. Syndrom napięcia. Koniec cywilizacji!

Nim moja tyrada wybrzmiała do końca w którymś z tych koszmarnych mieszkanek, z których rezygnowaliśmy po miesiącu, by szukać kolejnego, już wiedziałam, że będę jej żałować. To mój charakter. Nigdy nie wiążcie się z piszącymi, to nieznośne. Wybuchają histeriami, urządzają kaźnie, strzelają na chybił trafił, łoją kogo popadnie. Tłoczą słowa masowo i beztrosko, jakby dziergali ubrania z powietrza, dla samego dziergania, dla samego składania ich w jakże udatne kształty, efektowne, przekładane żółcią i dziegciem torty. Zaś położywszy na nich ostatnią warstwę azbestowego icingu, ostatnią kroplę jadu i wisienkę z cyjanku, truchleją, zastygają przerażeni, zdruzgotani sobą, własną nikczemnością.

Z tym agentem nieruchomości było teraz tak samo: po odsądzeniu go w myślach od czci i wiary wzięły mnie wyrzuty sumienia. Zrobiło mi się go strasznie żal. Może nie był zły, może był Bogu ducha winnym, nieszczęśliwym małym człowieczkiem z odrostami i butami ze szpicem, mówiącym „te okno" i „te rondo", i „bynajmniej" zamiast „przynajmniej"; nie potrzebował jeszcze do kolekcji swojej beznadziei mojej pogardy. Miałam z tego powodu kaca i chciałam nagle oddać całą zaliczkę za książkę, wszystkie oszczędności na schroniska dla wściekłych psów. Bo pomyślałam, że jak tak dalej pójdzie, to pewnie odrodzę się jako jeden z nich i że muszę zawczasu zadbać o warunki, w jakich przyjdzie mi żyć.

— Cóż, będziemy się zastanawiać — mówił do niego jeszcze Ernest, uśmiechając się przepraszająco, gdy wychodziliśmy z tego mieszkania. Jak zwykle było mu za mnie głupio. — To poważna decyzja, moja partnerka jest teraz akurat w trakcie pracy nad... — jego słowa zagłuszyła zawołana przeze mnie winda, która nadjechała, rzężąc. Zamaszyście otworzyłam drzwi i... Najkrócej będzie, jeśli powiem, że na podłodze kabiny siedziała jakaś dziewczyna.

Siedziała to też szumnie powiedziane. Jej kończyny były powykręcane i rozrzucone wszędzie wokół, zupełnie jakby bawiąca się nią jeszcze przed chwilą gigantyczna dziewczynka-mutant, zawołana przez bonę na obiad, rzuciła ją nagle w kąt i odbiegła, zawalając chodniki i zaczepiając wstążkami o budynki.

W asfalcie parowały jeszcze pewnie kratery po jej trzewiczkach.

— Może zatem pójdziemy schodami — powiedział agent, wpatrując się w wymiociny rozmazane na chybił trafił na jej spódnicy. Obok leżała sflaczała torebka, która jakby nie chcąc zostawić na lodzie swojej właścicielki, też zwymiotowała dla towarzystwa falą drobiazgów.

— Zmieścimy się — powiedziałam, stawiając ostrożnie stopę między złachanym, rozmoczonym jakby w wodzie numerem „Yogalife” a srebrną kartą klubu jogi.

— FARAH — przeczytał Ernest z tej karty.

— FARAH FACET — dodałam od siebie.

I winda ruszyła.

Rozdział 16

Skąd znali jej imię?

Farah zrobiła nieufny lufcik w powiece i zobaczyła tylko jakiegoś ufarbowanego pacana bez trójki. To on od dłuższej chwili poklepywał ją po ramieniu, mówiąc: „Może jakoś pomóc, psze pani?" i podnosząc dla zabawy jej dłoń, która opadła bezwładna.

„Nic jej nie będzie — powiedział głupkowato, gdy wreszcie z obrzydzeniem odepchnęła jego rękę. — Żyje, co nie?"

Było tam też dwoje ludzi, których nigdy wcześniej nie widziała: facet i kobieta. Nie, nie znała ich. Może też wpadli na „Szpital śmieci"? Może nawet kupili sobie rękaw od starego trenczu do powieszenia w salonie?

Niewątpliwie była w windzie. Dlaczego przyszła na ten cały wernisaż w windzie? I jak to zrobiła? Jak zmieściła ją do autobusu? Nieważne. Na pewno było to OBŁĄKAŃCZO ORYGINALNE, ale co najmniej dwa razy jeszcze tak konfundujące. Miała tyle rzeczy do powiedzenia, całkiem błyskotliwych, i gdyby pozwolili tylko jej się skupić, gdyby nie stali tak nad nią...

Winda tąpnęła i zatrzymała się, nastąpiło szmeranie butów i ci ludzie wyszli. Potem okazało się, że wynajęli mieszkanie w tej klatce; widziała ich kilka dni później, jak zwozili kartony, i unikała ich wzroku.

— Hej — próbowała jeszcze teraz krzyknąć za nimi. — Też tu mieszkam! Możemy się zaprzyjaźnić i urządzać poduszkowe wojny! — Ale wtedy poczuła swój oddech i nagle zrozumiała, że to dlatego sobie poszli — wstrętnie cuchnęło jej z ust.

Czyścioszki!

A co, jeśli kupiła swój oddech w jednym z second handów na St. Patrick's, hę? Tym, które sprzedają tym pokręconym hipsterom ciuchy z cyklu „im gorzej, tym zawsze może być jeszcze gorzej"? Stanęła przy stojaczku i spośród gum o niebanalnych aromatach, „Właśnie zjedzona główka czosnku zagryziona główką cebuli", „Zjedzony dwa dni temu kebab z baraniny", „Zbliżający się termin leczenia kanałowego", wybrała właśnie „Na wpół strawione whisky, papierosy, kwas żołądkowy i zbytnia najebka, by użyć listerinu"???

Potem do koszyka dołożyła jeszcze „Supermana", trochę świerzbu i silikonowych pęcherzy... „Uboga uczestniczka pielgrzymki" — to podobno najmodniejsza stylizacja w tym sezonie. Wzięła do tego wykonaną z gumy okładkę *Kazań Piotra Skargi,* cokolwiek to było. Zwariowany gadżet — można ją nałożyć na dowolną książkę i spędzić popołudnie w Bad Berry, popijając sojowe latte za osiem dolców i zza raybanów łowić spojrzenia tych wszystkich sympatetycznych więźniów własnej przewidywalności...

Efekt murowany: nareszcie nikt, naprawdę NIKT nie wie, o co ci chodzi. A to Bad Berry jest teraz naprawdę trendowe. Mają nawet przedłużone espresso dla psów i stoliki, gdzie psy mogą usiąść sobie ze swoimi MacBookami. To teraz szał: niby mają tylko trzy litery na klawiaturze (H, A i U), ale mają normalnie Firefoxa i twój pies może w chwilach wolnych od zabawy, nauki i zakupów oglądać filmiki na Youtubie, pokazywać innym psom, mogą na imprezach oglądać je sobie razem (stary, ale nie widziałeś tego!) (nie, nie, pokażę ci coś lepszego), w ogóle ma fajny design, jest na niego mniej wirusów i jej pies dużo bardziej go sobie chwali od peceta, którego miał poprzednio.

Farah wstała, z pijacką wyniosłością podtrzymując się ścian windy, i zaczęła zbierać do torebki swoje rzeczy, żałośnie rozsypane, jak całe jej jestestwo.

Rozdział 17

Czuła się potwornie.

Kto by nie czuł się potwornie? Wszystko nie tak! Wszystko stracone! — chlipała, przewracając przedmioty na kuchennym blacie. Imbryczek, błonnik granulowany, ostropest, turborynienka, o której kłamała Joanne, że to Ingeborg ją kupiła u tego lekarza od pasożytów...Podczas gdy kupiła ją sama! Tak, sama! Kacowe cierpienie, niby nawinięta ciasno serpentyna, czekało tylko na obiekt, wokół którego mogłoby wytrysnąć wszystkimi swoimi barwami, esami-floresami, fajerwerkami. Tak, kłamała wtedy, opowiadając Joanne o tym lekarzu leczącym kijkiem do nart! Sama była u niego! I to dwa razy!

Wszystko straciła. Przed chwilą była z Go i nieźle się bawiły. Były przyjaciółkami, można to śmiało powiedzieć! Miała kogoś bliskiego, kogoś, kto ją chce, akceptuje, a nawet jej dotyka! Teraz nie miała nic. W torebce — ani śladu niczego. Oprócz żeli antybakteryjnych i paru innych śmieci. Żadnego znaku, wizytówki, karteczki z numerem. Jedyne, co jej zostało, to pokryte bakteriami dłonie i okropny ból, który znalazł sobie przytulny kącik w jej głowie i zwinąwszy się w twardy, gorący kłębek, rozsadzał jej skronie. W sposób niecierpliwy i pozbawiony klucza przerzucała medykamenty w szafce, w poszukiwaniu saszetki theraflu zatoki. Nie miała czasu na ciągnące się godzinami pertraktacje, na zabawy w chowanego; mogła się bawić tylko w znajdowanego, i to teraz, natychmiast, inaczej zmuszona będzie rozbić sobie głowę wazonem lub innym ciężkim przedmiotem, a jej zdolności autodestrukcyjne nie są jeszcze na tym poziomie zaawansowania. Nie będzie umiała zrobić tego dyskretnie tak, by nie zostawić śladów, by nie zauważono tego w pracy.

Nagle w poniedziałek podczas lunchu do sałatki z rukoli wpadnie jej kawałek czoła.

Wszystko w porządku, Farah? — spyta zaniepokojona Ingeborg, próbując pomóc jej wyłowić kość spomiędzy liści sałaty i pomidorków koktajlowych.

To nic takiego — powie Farah, unikając jej spojrzenia, w pośpiechu otrzepując czoło z winegretu i wpychając je na miejsce. — To chroniczne odpadanie czoła, cierpię na to od dzieciństwa.

Jednak kiedy uda jej się wetknąć je na miejsce, odskoczy przyklejona lasotaśmą potylica, a zwinięte na chybił trafił zwoje mózgowe wytoczą się jak ogrodowy szlauch prosto pod nogi wrzeszczącej Ingeborg i dalej pod kserokopiarkę. Wysypią się, wytrysną wszystkie jej myśli, obsesje, wszystkie molekuły jej psychiki, mikroskopijna Joanne schwycona histerycznie tubki kleju, hungarysta napisu WC, jej matka recepty od laryngologa, Go z frytką, Ingeborg przytulona do bindownicy, a na samym końcu maleńka Farah, której cudem udaje się wleźć na opakowanie theraflu zatoki i dzięki temu...

Resztką sił wsypuje je do szklanki i zalewając wodą z kranu, jest już całkiem bliska ratunku. Ale wtedy do drzwi dzwoni dzwonek.

Farah odstawia szklankę. To sąsiad lekoman z pierwszego. Językiem ciała wyraża troskę i skrępowanie, ale też pobudzenie. Jest ogolony, świadczą o tym liczne zacięcia, podrażnienia i resztki pianki na obwisłych policzkach. Staranny przedziałek rozdziela jego przerzedzone włosy równo na połowę, co daje po dwadzieścia włosów po każdej stronie, na wszelki wypadek przyklejonych żelem do skóry na całej długości (dokuczliwe przeciągi!). Grube jak dwa pieńki nogi tkwią w skate-boardowych trampkach. Dłonie trzyma złożone ostentacyjnie na łonie, jak ktoś, dla kogo skończyły się żarty.

— Cześć — mówi, niby nigdy nic.

— Cześć — odpowiada Farah, zasłaniając się drzwiami. — Skąd to masz? — krzyczy niemal, spostrzegając nagle w jego dłoni swoje tabletki antykoncepcyjne.

— Co?

— To!

— Mogę wejść na chwilę? Mam sprawę.

— Jaką?!

Może jest koniec świata? Nawet chciała trochę, żeby tak było. Miała za mało siły, by go nie wpuścić, można by ją teraz przekonać do wszystkiego. („Czy mogłabyś oddać nam swoją tożsamość? — mogłaby powiedzieć teraz do niej sympatyczna wolontariuszka kampanii „Bank tożsamości". — Naszym darczyńcom dajemy też tożsamość zastępczą, sympatyczną maskotkę «Misia-Tożsamisia» i koszulkę z logo akcji".

„Właściwie... dlaczego nie?" — odpowiedziałaby Farah, podpisując zgodę na operację i brak roszczeń w przypadku poniesionej śmierci, tępym wzrokiem przyglądając się otrzymanym gadżetom. Dlaczego darmowe T-shirty to zawsze L-ki? No nic, zrobi z niej ścierki do kurzu).

Pokuśtykała do kuchni i wychyliła szklankę z lekiem. Mrużyła oczy, przez okno wpadało nieznoszące sprzeciwu słońce. Chłopak przydreptał za nią, rozglądając się po wszystkim, jakby zastanawiał się, gdzie najlepiej zamontować czujniki.

— Leżały w windzie — położył na blacie pigułki. Jego dłonie o króciutkich palcach i obgryzionych paznokciach przypominały łapki jakiegoś podwodnego stworzenia. — Pomyślałem, że są twoje.

— NIE SĄ MOJE — powiedziała drukowanymi literami.

— To dobrze. Bo nie powinnaś więcej ich brać.

— Dlaczego?

— Są przeterminowane!

— I co z tego?! — krzyknęła Farah, teatralnie wrzucając je do śmieci. Właściwie próbując wrzucić.

— Jeszcze to — powiedział, wyjmując z kieszeni żel antybakteryjny. — Nawaliłaś się?

— Dlaczego?

— Bo masz rzygi na spódnicy.

Farah spojrzała w dół i niemal się rozpłakała.

— Nie powinienem tak mówić, przepraszam — zasępił się, bezradny wobec jej przygnębienia.

— Nie obchodzi mnie to.

— Skrępowałem cię. Wyglądasz na skrępowaną.

— Nie jestem skrępowana!

— To właściwie intymne. Mogłaś mieć coś z żołądkiem.

— Wcale nie! Po prostu skończmy ten temat.

— Nie, nie, naprawdę. Sam nienawidzę, kiedy ktoś mnie tak wypytuje. Całkiem jak moja ciocia Peg na świętach. „Jak twoje guzy na jądrach, Albercie?" „Jeszcze powiększyły się, ciociu, już ledwie dopinam spodnie. Kompletnie nie mieszczą mi się do nogawek". I tak dalej.

— Przestań!!!

— To potworne, nie śmiej się.

— Nie śmieję się, jakbyś nie zauważył! To kaszel.

— Jestem Albert.

— Mam alergię.

— Czyli powinienem już pójść?

— Tak jakby.

— Szkoda.

— Wielka szkoda.

— Mogłaś mi powiedzieć.

— Mówię ci.

— Ale nie mogę wyjść bez oddania ci tego — powiedział, wyciągając z kieszeni sztanów ten rudy futrzany kołnierz, który nawinęła jej wczoraj Go. — No co? — rozżalił się. — Leżał w windzie!

Wyszarpnęła mu kołnierz i zamknęła drzwi, głośno, na wszystkie zamki. Albert pachniał jak nastolatki na pierwszej dyskotece: użytymi bez umiaru perfumami, których ilość kompletnie nie dopuszcza nawet do słowa ewentualnej jakości.

Kołnierz Go nosił metkę Zacha de Boom i musiał być albo koszmarnie drogi, albo przynajmniej trudny w ukradzeniu.

Rozdział 18

Pamiętacie ten odcinek *Domku na prerii*, w którym Laura Ingalls znajduje rannego liska w lesie i ofiarowuje mu własny czepeczek? Pomimo iż wie, że się u nich nie przelewa i prawdopodobnie będzie musiała całą zimę nosić w związku z tym na głowie wiklinowy koszyk?

Na kacu człowiek, chce czy nie chce, zawsze zaczyna myśleć o takich rzeczach. Chciałby uronić łzę, ba: otworzyć okno i ryknąć na całą ulicę, ale wtedy myśli, że Laura jest taka dobra i czysta, że taki odrażający, zalatujący wódą śmierdziuch nie jest godny nawet po niej nawet płakać.

Tak było i teraz. Chłodne, ale słoneczne popołudnie unosiło się za oknem bezczynnie, puste niby balon; Fah leżała w nieprzyjemnie ciepłej pościeli, a jej serce było słabe jak oddech niemowlęcia.

Szalony wieczór jawił się jej rodzajem pociętego i mocno niekompletnego materiału filmowego, który puszczała sobie naprzemiennie w dwóch wersjach. Jedna opowiadała o niej i Go. Za ręce biegły w niej na drugą stronę tęczy, by rzucić się w trawę i zasypywać się pocałunkami, a pozostałe sześć miliardów ludzi niech robi w tym czasie, co chce.

Ta wersja przejmowała jej ciało słodyczą, nieczęstą w jej sercu radością, a potem pragnieniem i tęsknotą. Więc dla równowagi pojawiała się wersja druga, złożona z ujęć, które nie weszły do pierwszej. Farah, kompletnie pijana, odrzucała w niej właściwą gatunkowi ludzkiemu pozycję pionową na rzecz poziomej, zaś tradycyjne chodzenie zastępowała mniej efektywnym, ale bardziej efektownym, albo przynajmniej przyciągającym uwagę: czołganiem, płożeniem, pełznięciem i ślizganiem się na własnych wymiotach. Swoim slapstikowym upodleniem przekreślała szansę na przyjaźń Go i szanse na wszystko, WSZYSTKO inne, czymkolwiek ono było.

Najgorsze, że nie potrafiła się na żadną z tych wersji jednoznacznie zdecydować. W jakiś paradoksalny sposób wierzyła w obydwie naraz, niczego nie była pewna, a koniec końców i tak po prostu tępo gapiła się w telefon, jakby patrzenie na niego odpowiednio długo i mocno mogło sprawić, że Go zadzwoni.

A jednak nie zadzwoniła.

Ani przez weekend, ani potem.

Jaka obmierzła wydaje się cisza, jakie bezwartościowe drobiazgi na półkach, jak nudna, nieskończenie nudna praca. Jak wielka dopada nas marność i miałkość naszego istnienia, kiedy ktoś przez moment pokaże nam życie barwne, szalone, omami nas kolorami, połechce bliskością zmysłową, obieca talon na wszystko, czego nam brak, by...

By zniknąć nagle, zostawiając nas na pastwę siebie. Jesteśmy jak wygłodniały chłopiec nieznający jeszcze życia, któremu wykolejeniec pokaże w jakimś kącie świńską ulotkę. Bilecik z rozkraczoną babą, której odbyt został najpierw wyeksponowany, a potem ukryty pod komputerową gwiazdką. Brzydzimy się, nie wiemy, co najpierw: wymiotować czy zasłaniać oczy rękami, wreszcie decydujemy się na to drugie, jednak zostawiając trochę miejsca między palcami, by mimo wszystko nie uronić nic z nęcącej ohydy obrazka. Potem zaś, zakażeni tą nieczystą słodyczą, czy też jak kto woli: słodką nieczystością, leżymy w bezsenne noce, czegoś łaknąc, za czymś tęskniąc, do czegoś próbując lgnąć.

Tak leżała Farah. Tak spędzała czas w pracy. Jej nieśmiałe, czynione drżącymi dłońmi śledztwo przyniosło pewne wyniki. W Googlach znalazła to, czego można się spodziewać, wpisując w nie „Go". Na stronie Lizard's Stomach, rzadko chyba aktualizowanej, było zaproszenie na wykład sprzed trzech miesięcy. Na witrynie Mr Foods, w zakładce „Nasza drużyna" odnalazła informacje przydatne dla kandytatów na członków zwariowanej załogi Mr Foods (Spróbuj i ty!). W skrzynce mailowej zdjęcia z urlopu od Joanne, których nawet nie otworzyła. Patrzyła przez okna agencji Bloch&Geek, za którymi roiło się miasto, ruchliwe i bezbrzeżne. Fale ludzkie, wpływające i wypływające z metra, przelewające się przez przejścia podziemne, zbijające się w przejściowe grudki u ich ujść, wzdymające na skwerach, by zaraz znów rozproszyć się w zaułkach! W których Go przepadała niby góra od kostiumu w oceanie — nie odnajdzie jej już nigdy, nigdy, nigdy!

Na którą to myśl zaczynała tłuc nadgarstkami o kant czegokolwiek, aż robiły się czerwonosine, a potem musiała nosić bluzki z długimi rękawami. Naciągnąwszy je aż po palce, przysłuchiwała się dyskusjom o projekcie najnowszej kampanii. Wydawały jej się one poszumem dalekiego śmietniska, po którym błądzili hipsterzy w poszukiwaniu futrzanych kołnierzy i obłędnych kinkietów, a mewy wyjadały z wyrzuconych sandwiczów tylko szynkę parmeńską, resztę usuwając, bo nie przepadają ani za sałatą rzymską, ani tym bardziej za musztardą dijon...

Rozdział 19

Wreszcie postanowiła działać.

W środę po pracy wsiadła w linię G, która jeździ na St. Patrick's.

Byliście tam kiedyś? To ten wielki postindustrialny dystrykt nad rzeką, opanowany przez rozmaitych niezbyt tryskających osobistym szczęściem emigrantów. Pewnie zresztą niektórzy z was tam mieszkają, cóż, to teraz modne... Dla mnie to ciągle jedna z tych dzielnic, o których bezustannie mówi się, że „ze względu na niskie czynsze coraz więcej artystów zakłada tu pracownie i galerie", „staje się powoli mekką zwiedzionych tanimi mieszkaniami artystów", „powstaje tu wiele knajpek o artystycznym klimacie", „ze względu na dużą liczbę artystów, jest tu wielu artystów" i inne farmazony agentów nieruchomości, chcących ściągnąć histerycznych snobów do tutejszych zawilgłych mieszkań o popsutych żaluzjach i fekalnym zapaszku.

„Napiszą o was w «Yogalife», w dodatku «Home»! Będziecie mogli pokazać wnętrze z nagiej cegły, dywanik łazienkowy ze zrecyklingowanych kapsli i pleśń pokojową z prawdziwej pleśni!" Podczas gdy tak naprawdę w co drugiej witrynie obok pęta kiełbasy wisi ogłoszenie o usuwaniu pluskiew, a większość sklepów to rupieciarnie oferujące podstawki do czajników, niedziałające faksy, zdezelowane kolanka hydrauliczne, lekko ułamane, ale jeszcze działające klawisze „Return" i „Option" do Atari 64, sukienki z żółtymi pachami i unikatowe dzieła zebrane Szekspira z XVII wieku bez okładki, grzbietu i kartek. Z drugiej strony znam takich, co twierdzą, że wcale nie brakuje tu dobrych knajpek i da się tu spędzać całkiem miłe, leniwe niedziele. Około południa można skoczyć na GNOCZCZI z sosem z orzechów brazylijskich, tajskie risotto z malinami i kanapki z biojagnięciną i pesto, a potem kokosić się aż do siedemnastej obżartym i wzdętym, popijając mojito, chichrząc się i podkładając dialogi szamoczącym się z kubłami na śmieci kloszardom.

Mniam, uwielbiam gnoczczi.

Oczywiście do takich miejsc z pewnością nie należy Mr Foods, gdzie Go mówiła, że pracuje. I przy którego kontuarze Fah stała teraz, pocąc się i udając, że czyta menu, śledzona ostrzem niezadowolonego wzroku przez krzepką Murzynkę. Nie, wnętrza nie zaaranżował tam z pewnością Guy Mac Ferry, nie było stor w deseń zaprojektowany przez Kim Gordon, toaleta nie była wytapetowana *Kamasutrą*, a mięsa nie sprowadzano z farmy pod Portland, gdzie zwierzęta mogą mieć magnetofon w pokoju, a przed śmiercią mają prawo porozmawiać z psychologiem.

Mr Foods okazało się sporą, zatłoczoną, źle klimatyzowaną speluną, której klientela werbuje się spośród spożywczych dekadentów podświadomie próbujących popełnić samobójstwo przez niekontrolowane spożycie cholesterolu. Widać było to po menu pełnym śmiertelnych okropności w rodzaju „Spaghetti 15 serów", „Smażonych snickersów z odlotowym purée z marsa" i „Chickenwingsów w panierce z nuggetsów". Był też niechlujny bar, zatkana toaleta kipiąca od starych podpasek i backyard, po którym bezpańskie psy rozwlekały styropiany z resztkami.

— Poproszę... — powiedziała Fah. — Poproszę... Poproszę duże nuggetsy.
— Dużych nie ma.
— A jakie są?
— Są Ogromne, Gigantyczne i Potworne.
— To ogromne.
— Dodatkowy tłuszcz? — pyta kasjerka.
— Nie, bez dodatkowego tłuszczu.
— Czy chcesz dodatkowe tysiąc pięćset kalorii za półtora dolara?
— Nie, dziękuję.
— Poczwórne czy poszóstne frytki?
— Poczwórne.
— Dziękuję, przyjęłam zamówienie.

Nie, nie, żartuję, nic takiego nie miało miejsca.
— To głupie, ale... szukam pewnej osoby — powiedziała Farah do Murzynki.
Czarne zwitki jej włosów pod staromodną siatką wyglądały niby złe wróżby z chińskich ciasteczek.
— Nazywa się Go.
— Nie ma jej — odpowiedziała, szukając oczami następnego klienta.
— A kiedy będzie?
— Nie przyszła wcale w tym tygodniu.

— Czy dałabyś mi do niej numer?
— Nie mam prawa udzielać danych innych pracowników.
— Czy mogę coś dla niej zostawić?

Murzynka pogardliwie zgarnęła do kasy wizytówkę (na której widniało logo Bloch&Geek i na której Farah dopisała: Lizard's Stomach/zeszły piątek), po czym całym swoim ciałem dała jej do zrozumienia, że dawno obsługuje już kolejnych klientów, i Farah potoczyła tylko jeszcze wzrokiem po młodych ludziach pakujących chickennuggetsy. Tak zabawnie przekomarzali się w swoich fartuchach — myślała obolała z zazdrości, gapiąc się, jak wśród śmiechów przerzucają się frytkami. Jak z jakiegoś serialu: *Cały gar kłopotów*, *Kochanie, zmniejszyłem nasze zlewy*, każdy pewnie ma zabawną przywarę albo jedno zabawne powiedzonko. Fah też mogłaby rzucić swoją cholerną pracę w agencji, wywalić pijący pod pachami kostium z Zary i występować tu razem z nimi, chlapiąc się tłustą wodą ze zmywaka, grając w głupiego jasia belą kebabu i dla dowcipu spuszczając się do makaronu...

Zwłaszcza że w agencji zbierały się nad nią czarne chmury. Trudno ukryć tak drastyczny spadek zaangażowania w pracę, a już zupełnie trudno, jeśli się nawet nie próbuje. Całymi kwadransami błąkała się po biurze z ryzą papieru do ksero w ramionach, potykając się o przedłużacze. Nieobecnym wzrokiem ślizgała po prezentacjach w PowerPoincie, po zakurzonych żaluzjach, otwartych MacBookach. Po opatrzonych symbolicznymi ilościami okularów napisach Prada, zza których koleżanki popatrywały na nią podejrzliwym wzrokiem.

Rozdział 20

— Znowu ta od tych zakrwawionych spodni?

Stara opasła syrena podsunęła swoje opadające okulary Rayban z jednym tylko szkłem, przez co jedno jej oko było kuriozalnie większe niż drugie. Tym bardziej widać było, że nie wierzy już w nic i nie miałaby już nic przeciwko kopnięciu w kalendarz. W obtłuczonej popielniczce miała kilka rybich szkieletów, których łby ssała ponuro od czasu do czasu. Z butelki po tide bez wybielacza obwisał wiecheć zgniłych tulipanów. Przeglądała, a raczej trzymała do góry nogami rozmoczony egzemplarz „Yogalife". Znała tylko kilka liter, ale napawała się tą atmosferą, szykiem, którego zawsze przydaje gazeta.

— Zmęczyły mi się oczy — powiedziała do Farah, przywołując ją zagiętym palcem. — Mogłabyś mi poczytać.

„Nie mówi się o tym głośno, bo jest to kontrowersyjne moralnie — przeczytała Farah posłusznie, przycupnąwszy na przeżartym rdzą robocie kuchennym. — Ale wśród bogatych mieszkańców krajów zachodnich powiększa się rzesza duchowych inwalidów, którzy gotowi są zapłacić niebotyczne pieniądze, by nie być dłużej sobą". — Czytać dalej?

Tamta tylko skinęła głową, rozsiadłszy się wygodniej na platformie z desek, na której leżał w bezwładzie jej wielki, tłusty, powycierany ogon. Przemieszczała się na niej, odkąd została pobita brutalnie przez naćpanych pasażerów jakiegoś jachtu — nie mogła sama pływać. Platformę sklecono z dna jakiejś szafy czy kawałka teatralnej sceny, do której dosztukowano kółka od wózków dziecinnych, co najmniej kilku różnych, przez co cały pojazd chwiał się i raz po raz utykał w piachu. Syreni świat, pozbawiony mężczyzn, nie mógł poszczycić się zaawansowaną myślą techniczną.

„Względy, którymi się kierują, są przeróżne — czytała Farah. — Bądź to popełniony ogrom zła i obrzydliwości, który bezustannie im się przypomina, bądź to przedłużająca się depresja i poczucie wyjałowienia, uzależnienie od alkoholu, narkotyków czy zaburzenia jedzenia. Nierzadko chętnymi powoduje przesyt zmysłowy czy seksualny, który uczynił ich niewrażliwymi na bodźce i nie pozwala im się więcej niczym cieszyć. W specjalistycznych choć niechlujnych, jak na zachodnie standardy, klinikach w Indiach, których prawo jako jedyne zezwala na ten proceder, dokonuje się bardzo skomplikowanego PRZESZCZEPU JAŹNI. Choć ciągle nic nie wiadomo na temat moralnego aspektu tego zjawiska, jest ono coraz popularniejsze i przynosi obopólne korzyści kontrahentom, którymi są najczęściej..."

— Poczekaj no — poleciła stara syrena i zaniosła się kaszlem. Ość musiała wpaść jej nie tam gdzie trzeba, bo krztusiła się dłuższą chwilę. Farah czytała dalej, bo artykuł bardzo ją zainteresował, może sama poddałaby się takiej operacji?

„Cóż, jeśli te osoby znów są w stanie cieszyć się życiem... co w tym złego? — odpowiada pytaniem na pytanie Charlie, znany z licznych ekscesów hollywoodzki aktor, na którym wszyscy postawili już krzyżyk. Dzięki operacji jest znowu w stanie dalej żyć, a bliscy twierdzą, że stopniowo wraca do formy. Podobno zaczynają cieszyć go smaki i zapachy, choć sam przyznaje, że zmienił się trochę jego charakter. Jest bardziej przelękniony, płaczliwy, stroni od zbliżeń z partnerkami i zaczął częściej oglądać telewizję.

Z jego seksoholizmem, alkoholizmem i uzależnieniem od narkotyków walczy teraz dziewiętnastoletnia Nidhi, która nie ma zbyt wielu możliwości realizacji pokus na tym tle. Jest smutna i krzyczy przez sen, śni jej się podobne do arbuza, tryskające sokami kobiece krocze spadające na jej twarz; podmywanie się w Moecie i seks z przedwcześnie rozwiniętymi, zrobionymi na «Dziewczynę pielgrzyma» czternastolatkami, ale, jak twierdzi dzielna Nidhi, to wszystko jest do przeżycia... Głuche cierpienie, wewnętrzna pustka i niemożliwość ucieszenia się niczym były warte cztery tysiące euro, które w ten sposób uzyskała, a które umożliwią posłanie jej czworga dzieci do szkoły".

— Koniec — powiedziała od siebie Farah, a syrena cmoknęła tylko melancholijnie, nijak nie skomentowawszy artykułu, być może niewiele z niego rozumiejąc. Wyglądała, pożal się Boże, jak te sprzedawczynie w jugosłowiańskich sklepach z kiełbasami. Jej włosy, siwe, rzadkie i zniszczone, spięte były na czubku głowy dziecięcą spinką z Królikiem Bugsem; rzęsy wymalowane niebieskim tuszem, rysy twarzy rozmoczone i niewyraźne.

— Powiedzmy, że mogłabym ci pomóc ją odnaleźć — powiedziała ni stąd, ni zowąd, rzucając rybi szkielet w górę śmieci i bez sympatii przyglądając się Farah.

— Kogo?

— Nie bądź głupsza niż jesteś, mała.

— Naprawdę mogłabyś...? — spytała Farah.

— Powiedzmy.

— W jaki sposób?

— Sposobem się nie przejmuj. Przejmuj się, ile to kosztuje.

— Mogę ci zapłacić — powiedziała Farah.

— Phi — prychnęła syrena.

— Mogę dać ci odtwarzacz DVD.

— Mam odtwarzacz DVD — powiedziała syrena. — Nie działa w wodzie. Chcę...

— Tak? — spytała Farah, wiedząc już, że cokolwiek to będzie, będzie drogie.

— Chcę twoje włosy.

— Słucham?!

— Uwierz, moje też kiedyś były piękne. Ale nie da się utrzymać pięknych włosów w tak skażonej wodzie. Przekonałabyś się o tym prędko. Rzedną, wypadają, wreszcie stają się jak ścierka. Cóż, może powiesz, że to drogo. Ale pomyślałam, że po prostu ci na tym zależy.

Czy miała jeszcze jakiś wybór? Może miała, chyba dlatego tak płakała, biorąc w palce zardzewiałe nożyczki.

Rozdział 21

Nagle zadzwonił budzik, nieustępliwy i gwałtowny.

Ocean wyrzucił Farah na brzeg jak kalekiego rozbitka.

Chłodny, cichy monument poranka kruszył się, rozsadzany przez rzadkie jeszcze klaksony, warknięcia autobusów, taksówki, dopiero za jakąś godzinę mając obrócić się w codzienne inferno. Ludzie wyłuskiwali się z bram, ciągnąc za sobą w powietrzu fioletowe smugi perfum. „India Vege Pan" tłoczyło już nieznoszące sprzeciwu chmury toksycznego curry, które wpadały przez okno z zepsutą żaluzją wprost do nosa Fah, zostawiając w nim tłusty film.

Nie wiem, czy to znacie, mnie osobiście to nigdy się nie zdarzyło, ale podobno niektórzy to mają nagminnie. Wstajecie, niezbyt szczęśliwi, w życiu trochę wam nie idzie. Człapiecie się do kuchni, by wstawić kawę... czy też: bez różnicy — zaparzyć przeciwpasożytnicze zioła w turborynience. Tam, niby to przypadkiem, zawadzacie wzrokiem o podłogę, bo leżą na niej tak jakby... Tak jakby, co tu dużo mówić... W końcu to fakt i nie ma co, nieważne, jak by było to dziwne i niepokojące, zwłaszcza że to... Krótko mówiąc: włosy. Wasze włosy!

No, może nie wszystkie, powiedzmy: spora część. Pierwsze, co robicie, łapiecie się za głowę, pędzicie do łazienki, w międzyczasie znajdujecie resztę włosów na podłodze... Wasza głowa wygląda jak po opadach kwaśnego deszczu, ale nie możecie mieć o to do siebie pretensji — nawet mistrzom fryzjerstwa podobno nie zawsze wychodzi to równo, kiedy strzygą sami siebie przez sen z zamkniętymi oczami. W histerii przerzucała szafę, zastanawiając się, jak to ukryć. Co ma zrobić? Zadzwonić do Joanne? Dyskretnie wybadać, czy już wróciła? Przecież nie pójdzie z tym do fryzjera. Co powie, że się stało z tymi włosami? Pies jej zjadł?

— Farah? — powiedziała Ingeborg w agencji z jakąś budzącą niepokój delikatnością. Jej nierozumne błękitne oczy jakby wbrew jej woli śledziły kropelki potu wytaczające się spod wełnianej czapki F. — Idziesz na lunch?

— Dzięki, jakoś nie jestem głodna — powiedziała Fah.

— To nawet dobrze się składa — uśmiechnęła się skrępowana Ingeborg. — Szef prosi cię do siebie na rozmowę.

Rozdział 22

„Krany na Tip-tap, krany na Tip-tap — nuciłam właśnie sobie, wchodząc do klatki. — Kupujcie krany na Tip-tap". Czasami, jak usłyszę tę piosenkę, nucę ją tak długo, aż wszyscy chcą zerwać ze mną znajomość. I potem, jak rozlegają się te dzwoneczki i wchodzi ten gość: „Twoje Centrum Armatury czynne PRZEZ CAŁY TYDZIEŃ". Z jaką dumą on to mówi!

Przywiozłam trochę kartonów z poprzedniego mieszkania. Było całkiem ciepłe popołudnie.

— Siemasz, nie wiesz, czy to w tej klatce mieszka Farah? — spytała mnie drobna, obcięta na łyso dziewczyna czekająca na windę. Wielkie ciemne okulary, papieros za uchem, boleśnie ekstrawaganckie buty i ten ton „powiedz mi to albo giń" zdradzały szyk manierycznych St.Patricksowskich młodziaków. Poza tym w ręku miała dwie wielkie, wypchane po brzegi torby z H'n'Mu, w drugiej klatkę z jakimś zawodzącym stworzeniem i na dokładkę galon cloroxu.

— Farah? — powtórzyłam, gapiąc się na te zaskakujące rekwizyty osobiste. Tak miała na imię ta pijana z windy, ta od jogi — Chyba tak. Ale nie wiem, na którym piętrze. Dopiero co się wprowadziliśmy.

— O, to nie jestem sama. Też się właśnie wprowadzam. Nie przejmuj się tym cloroxem — dodała. — Pomyślałam, że ja go kupiłam i że go zabiorę, skoro ja go kupiłam, co nie? Nie będzie taki zjeb używał mojego wybielacza. Dzięki — powiedziała, gdy przytrzymałam jej drzwi. — Wcisnęłabyś mi trzecie? Wkurzył mnie chłopak. Wróć: chłopak i jego chłopak. Manowce postmodernizmu obyczajowego. Lub nazwij to, jak chcesz. Choć początkowo zdawało mi się, że akceptuję jego poliamoryczność. No więc: nie akceptuję. O, to już tu. Do zobaczenia.

Zdjęła okulary. Tusz do rzęs miała roztarty po całej twarzy.

— Kopę lat — powiedziała i siąknęła nosem.

— Kopę lat — szepnęła Farah, chowając za sobą trzęsące się dłonie.

— Jesteś sama? — spytała Go, jak flagę spuszczając swoją małą, pięknie sklepioną czaszkę. — Nie miałam do kogo zadzwonić.

Z zaczerwienionym nosem, ubrana w dżinsy i podkoszulek, tak jakby w pośpiechu nie zdążyła zanurkować w kontenerze z odzieżą dla ubogich. Namacalna, realna, prawdziwa. Bez kostiumu, bez maski, bez zasłony dymnej pisków i głośnego śmiechu, bezbronnie skubiąca skórki od paznokci. Zadzwoniła całkiem nagle, ni stąd, ni zowąd, słychać było, jak przełyka łzy. „Musimy porozmawiać”, „Nie wyobrażasz sobie, co się stało”, „Czy możemy się spotkać?”

— Ja mogę przyjechać do ciebie — powiedziała Farah, struchlała, uroczysta, gotowa do najwyższych poświęceń.

— Nie, nie, to ja dzwonię, ja przyjadę do ciebie.
— Byłoby prościej — zapewniała jeszcze Farah, rozglądając się po mieszkaniu, które nagle wydało jej się zupełnie żałosne, nieadekwatne. — Siedź tam, gdzie jesteś, a ja przyjadę.
— Nie musisz. Jestem właściwie przy metrze.

Och cholera! Miała tylko chwilę, by wszystko zmienić. Podrównać obrzępolone włosy, ogolić nogi, wymyślić sobie jakieś kwestie, żarty, zabawne komentarze, którymi mogłaby potem spontanicznie sypać. Zamaskować różne dowody na bycie przez nią tą okropną nią, wepchnąć najbardziej kompromitujące ślady swojego życia do schowka na płaszcze — wszystko, co mogłoby sugerować, że ma te różne żenujące przypadłości: przemianę materii, pięty, paznokcie, zęby... Nogi gięły się pod nią; serce tłukło, tłocząc do krwiobiegu lody o smaku waniliowo-heroinowym, które mieszały się z buzującymi tam już wcześniej niedowierzaniem, lękiem, mdłościami ze zdenerwowania, brakiem włosów i...
— Ten tłustodup to jakiś kolega? — spytała Go, wchodząc.
....i jeszcze szokiem na widok Alberta — lekomana, który czaił się właśnie pod zsypem, a zauważony, zaczął udawać, że czyta zapamiętale przyczepioną na nim kartkę.

— To jakiś wariat! — powiedziała Farah, zamykając drzwi na zamek. — Chyba kocha się we mnie.
— Gdzie mogę postawić clorox?
— Gdziekolwiek. Mam okropny bałagan.
— Sorry, że ci się zwalam — powiedziała Go, rozglądając się po mieszkaniu martwym i pustym jak ekspozycja w Ikei.
Ubrana względnie normalnie, na stopach miała niezwykłe dekatyzowane buty. Ni to czółenka, ni to sandały

ortopedyczne, mogły kosztować i tysiąc dolarów, ale były tak brzydkie, że jak się zastanowić, minus tysiąc dolarów też byłoby całkiem rozsądną ceną.

— Nie ma sprawy! — uśmiechnęła się ciepło Farah. — Też bardzo mi pomogłaś ostatnio.

Go spojrzała na nią jak na głupią.

— Wiesz, wtedy w Lizard's... Byłam kompletnie nieprzytomna... i tak dalej — jąkała się Farah, zalewając się rumieńcem. Sięgnęła po „Yogalife", które chwilę wcześniej otwarte rzuciła dla picu na fotel i udawała, że z zainteresowaniem je przegląda.

— Rozstałam się z Chrisem — ucięła Go, zapalając papierosa. — Wiem, że rozstaliśmy się wcześniej, ale teraz to już nieodwołalne. Wyprowadziłam się.

— Ja dostałam dziś urlop — powiedziała F., jakby było to coś całkiem podobnego.

— To już koniec — Go robiła melancholijny przegląd swojego pedicure.

— Szef stwierdził, że jestem przemęczona. Podobno pracownicy odnotowali dziwne zachowania i ogólny SPADEK WYDAJNOŚCI.

— I jedziesz gdzieś? — spytała z nadzieją Go. — Jakbyś wyjeżdżała, mogłabym przypilnować ci mieszkania.

— Nie myślałam jeszcze o wyjeździe, ale...

— Tydzień, dwa mogłabym tu dla ciebie posiedzieć.

— ...to raczej nie wypali. Kazali mi chodzić na seminarium o autoagresji.

— O czym?!

— O a... o stresie.

— Olej je.

— Muszę dostarczyć poświadczenie, że w nim uczestniczyłam.

— Och, już dobrze! Jak zawsze: Go, jeśli chcesz na kogoś liczyć, licz na siebie! — westchnęła Go wymownie, otwierając kredens. — Dobrze, że chociaż to jest jasne. Gdzie masz naczynia? Mam dla ciebie prezent.

Farah zrzedła mina na sam widok Ballantine'sa, którym Go napełniła sobie szklankę i polała odrobiną coca-coli.

— Nie pijesz? — spytała, dmuchając nos.

— Dzięki, po ostatnim to...

— Ja muszę, jestem kompletnie rozdygotana. A to mój kot.

— Słodki — powiedziała Farah, nie dotykając go (pasożyty). Był to dachowiec z białym kołnierzykiem.

— Znalazłam go ostatnio w jednej galerii. Chodził po brzegu parapetu i miał wszystko w dupie. Na siedemnastym piętrze! Tylko spojrzałam na niego i wiedziałam, że jest taki jak ja, że to przeznaczenie. Nazywa się Bękart. Z Chrisem uważaliśmy go za nasze dziecko. No, rozejrzyj się, Bękart, nie bój się, to jest ciocia Farah!

Farah spojrzała na niego z czymś, co wyobrażała sobie, że jest sympatią.

— Głupio mi było do ciebie dzwonić — prawie się nie znamy. — Go puściła kota, który czmychnął pod sofę. — Ale sama rozumiesz. Pojechałam najpierw do mojej przyjaciółki, żeby się mną zaopiekowała. Ale niestety. Sorry Batory.

— Rozumiem cię doskonale — powiedziała Farah. — Moja przyjaciółka, gdy ja byłam...

— Tacy są ludzie! Jak przyjechałam, ona akurat wzięła tabletkę dzień po. Bolał ją brzuch i miała jakieś tam krwawienie. Jak do niej przyszłam, nie chciało jej się nawet wstać z łóżka! Musiałam sama zrobić sobie herbaty, sama szukać czegoś na uspokojenie u niej po szafkach, a ona tylko leżała i jęczała. Kiedy ja cała się trzęsę, nie mogę sobie poradzić, jeszcze „podaj mi kocyk, podaj mi tamto", nie nadaję się na siostrę miłosierdzia, kiedy jestem w takim stanie. W dodatku ciągle marudziła, że ma alergię na koty i żeby to udowodnić, zaczęła ostentacyjnie smarkać i kichać. To już było co najmniej przygnębiające. Powiedziałam: „Do cholery, nie możesz mi tego zrobić, jesteś moją ostatnią deską ratunku. Powiedziałam tym dwóm, że się wyprowadzam raz na zawsze, że zabieram Bękarta, wszystko skończone, to nieodwołalne. Nie mogę teraz wrócić". Ale ona tylko jęczała i kichała. Nie wiedziałam, co robić! Wtedy przypomniałam sobie o tej twojej nieszczęsnej wizytówce. Niestety wyrzuciłam ją wcześniej do śmieci, więc musiałam wrócić się do domu i szukać w śmietniku. To było dość upokarzające. Ale co innego miałam zrobić? Tak à propos, zawsze chodzisz po domu w czapce?

— Nie! Jasne, że nie! — powiedziała Farah. — Choruję na...

— Fajne mieszkanie. W głupim miejscu. Ale przynajmniej w miarę duże. Zazdroszczę ci. Ja już nie mam domu. Za naszą bezdomność, Bęki! — powiedziała Go, wznosząc toast w kierunku kota, który obwąchiwał poduszkę.
— Póki co, możesz spać tu — mówi Farah, czerwieniąc się.
— Naprawdę? To nawet nieźle. Mam tu zresztą niedaleko znajomych.
— Łóżko jest spore — Fah wyszła do kuchni. — Pomyślałam, że zrobię coś do żarcia?
— Może tak. Inaczej zaraz będę zrobiona gorzej niż ty ostatnio. Jak tyś to zrobiła? Nieraz po dwóch butelkach whisky nie jestem w takim stanie.
— Nic nie słyszę — krzyczy Farah. — Może być pasta?

Tak jakby miała pięć innych potraw w zanadrzu! Jedyny przepis, jaki miała, opiewał na trzy składniki, które miała jeszcze z okresu *Życie pełne cudów*. („Otwórz swoje serce i swój dom! Paczka dobrego makaronu i słoik suszonych organicznych pomidorów zajmują znacznie mniej miejsca w twojej szufladzie, niż będą zajmować w sercach twoich przyjaciół").

— Bęk? Bękart, nie tam! — mówi tymczasem Go, mierząc kalosze Hunter w odcieniu navy. — O rany, chyba zsikał ci się na poduszkę.

— Nie szkodzi! — uśmiechnęła się Farah.— Ubóstwiam zapach kociego moczu.

Nie, nie, wcale nie powiedziała tak. Nie słyszała, była zajęta gotowaniem i myśleniem o sobie. Czuła się, jakby grała samą siebie w filmie. Drżały jej ręce. Ciągle przeszywały ją dreszcze niedowierzania. Było jak w jej marzeniach! Tylko trochę gorzej, wiadomo.

— Gotowe — powiedziała wreszcie, wnosząc talerze. Go przechadzała się akurat wzdłuż regału, wodząc palcem po wszystkich książkach i płytach.

— Jadłaś kiedyś koplatki? — paplała, biorąc się za jedzenie. — Mam potworną chętkę na koplatki. To taka tradycyjna jugosłowiańska potrawa, nie wiem, jak ci to wytłumaczyć. Skrzyżowanie klusek z płatkami, czy też... Trudno powiedzieć, musiałabyś spróbować. W każdym razie jest to najlepsze, co kiedykolwiek...

Tu Go zakrztusiła się nagle, pochylając się nad miską, a jej ciałem wstrząsnął odruch wymiotny. Wybałuszyła oczy i wykrzywiła usta.

Po czym wypluła długie i całkiem grube pasmo wymieszanych z makaronem włosów.

Rozdział 23

Zapaliła światło.

— Ty wstrętny sierściuchu — ryknęła, rzucając kaloszem w przeciągającego się Bękarta. — Zabierz swoją śmierdzącą dupę z mojej poduszki!

Kot umknął na okno. Na stole stały nietknięty posiłek i niedopita whisky, rekwizyty jej klęski. Pociągnęła z butelki kilka łyków. W czapce i butach walnęła się na łóżko i wybuchła gorącym płaczem. Czy życie mogło z niej bardziej zakpić? Czy jej upokorzenie mogło zajść dalej?

Mniejsza z tymi włosami, nie o to chodzi! Ostatecznie można to było jeszcze jakoś wspólnymi siłami obrócić w żart (kuchnia WŁOSKA — ha ha ha). Ale nagle Go odstawiła dymiący jeszcze talerz i powiedziała, że jest pyszne, ale musi wziąć kąpiel. Kąpiel! Zamknęła się z butelką i telefonem w łazience i siedziała tam niemal godzinę przy głośno lecącej wodzie, gorąco się z kimś awanturując. „Nigdzie nie przyjadę, toksyczny skurczybyku! — słyszała Farah, usadowiwszy się dość blisko drzwi. — Nie szukaj mnie! Nie pytaj, gdzie jestem! Jestem u KOGOŚ, tak, u kogoś bliskiego, kto zaoferował mi pomoc i nic ci do tego, pieprzony jajkolizie!"

Następnie wyszła w szlafroku Farah. Obwieściła, że „Chris błaga ją, by się nie wygłupiała i przyjechała zaraz do Tania's".

— Już się na to nigdy nie nabiorę! — krzyczała.
— No pewnie — powiedziała F.
— Nie pojadę tam!
— Pod żadnym pozorem nie jedź!

Czuła, że dobrze jej radzi, właściwie nie wiadomo skąd. Wzięła się za naprawianie zasłony prysznicowej, która widocznie nie wytrzymała ferworu rozmowy. Powietrze było niebieskie od wilgotnego, gryzącego dymu, na umywalce leżało mnóstwo niedopałków ze śladami pomadki, które wyglądały jak zamordowane ludziki Lego. Go chodziła po pokoju i od czasu do czasu coś strącając, głośno analizowała przyczyny i źródła konfliktu emocjonalno-seksualnego, w którym tkwiła, jak twierdziła „po czubek dupy". Narracja, raczej nieoglądająca się bardzo na słuchacza, była chaotyczna, zawiła i czyniona niejako do siebie, a przytaczanie intymnych, nie zawsze niezbędnych szczegółów sprawiało jej wyraźną przyjemność, rosnącą proporcjonalnie do ceglastych rumieńców Farah.

— Nie jest ci ciepło? — spytała Go w końcu, gasząc papierosa w szklance.
— Nie, nie. Mam chore uszy — szepnęła Fah.
— Uszy?!

Ta prozaiczna prawda z niewiadomych przyczyn bardzo przygnębiła Go. Bo spojrzawszy na Farah ni to z niedowierzaniem, ni z pogardą, nagle opadła z sił. Zawisła bezwładnie na fotelu, obserwując swój iPhone, a jej czoło zaciągało się z chwili na chwilę gęstszymi chmurami smutku i apatii. Wreszcie chwyciła „Yogalife" i zaczęła wertować je nienawistnie, jak ktoś, kogo samolot spóźnia się siedemdziesiątą ósmą godzinę.

— Boże, skąd bierzesz takie gazety?! — krzyknęła, rzucając magazyn w kąt. — Puściłaś kiedyś smrodliwego bączka podczas „Powitania słońca"? Poślizgnęłaś się na rozsypanym musli? To uważaj. Tu jest napisane, że możesz być JOGAPECHOWCEM!

Po kwadransie wyglądania przez okno i wzdychania, niby nigdy nic zaczęła wciągać spodnie.

— Jedziesz gdzieś? — spytała ogłupiała już zupełnie Farah, która trzęsącymi się rękami ubierała pościel.

— Do Tania's — powiedziała Go, rozprowadzając po twarzy make-up. — A CO?

— Nic takiego — powiedziała Farah i wypiła kilka wstrętnych łyków whisky prosto z butelki.

— Chcesz jechać też? — upewniła się raczej niż zaproponowała Go. — Mogłabyś. Ciężko mi będzie z tymi siatami.

— Cóż, jeśli...

— Ale pod warunkiem, że Bękarta zostawiamy u ciebie.

— Bękarta?

— Klatka jest cholernie ciężka.

— Ale...

— Spróbuj ją podnieść i powiedz, czy chcesz ją tachać!

— Nie mogę wziąć kota!

— Dlaczego? To jedna noc — prychnęła Go, dopijając swojego drinka. — Okej, NIE, BO NIE. Z tym się nie dyskutuje. Jakoś sobie poradzę. Zatrzymaj sobie też ten kołnierz. Dla mnie śmierdzi cmentarzem. Bękart! Bęki! Chodź, idziemy. Nigdzie nas nie chcą. Idziemy. Co za dzień, chyba się upiję! — dodała, stanowczo nie doszacowując swojego stanu z chwili obecnej.

Rozdział 24

Lubię jeździć metrem. Czuję wtedy coś z pogranicza religii i seksu. Które podobno przecież nie mają wcale pogranicza.

Ernest twierdzi, że to obrzydliwe, co mówię. Nie cierpi, kiedy robię się na pozbawioną zdolności muzycznych Björk, „Och sama nie wiem, dlaczego jestem taka dziwna!" i „Zrobię korale z kropli swego soku i chcę, byście nazywali mnie «magiczna kobieta-drzewo»!".

Ale to chyba normalne, kiedy większość czasu siedzę sama w mieszkaniu. Usiłuję pracować, ale zamiast tego jem albo wymyślam powody, dlaczego nie mogę pisać. Szamoczę się zamknięta we własnej głowie jak w puszce. Świat? Jaki świat? Miasto wygląda z tego mieszkania jak makieta. Nie ma dźwięku, emituje jedynie monotonne rzężenie, jak drażniona w nieskończoność najgrubsza struna kontrabasu. Potem, gdy nagle muszę gdzieś pojechać, coś załatwić, szok: na każdym kroku ludzie! Sześć miliardów innych ludzi łaziło cały czas za moim oknem, za moją ścianą. Za moją czaszką!

Z metrem sprawa jest higieniczna, epidemiologiczna. Nie mieści mi się to w głowie, że w tym postmodernistycznym, a właściwie postfizycznym, POSTREALNYM świecie nagle — coś takiego. Przyjaźń przez Facebook, sport na konsoli, seks przez kamerkę, wychowywanie dzieci przez Skype'a, martwe ryby w rzekach, martwe ptaki na drzewach, martwe drzewa; hologramy, wakacje w kosmosie, żele antybakteryjne i żele probiotyczne, i żele anty-probakteryjne dwa w jednym, i nagle w tym wszystkim nadjeżdża wagon metra. Po brzegi pełen buzującej, tętniąco-pulsującej, skłębionej, namolnej, bezładnej, fizycznej do szaleństwa masy ludzkiej!

Drzwi zamykają się, zasklepia się wokół mnie niekontrolowana fizjologiczna bryła. W biały dzień, w kraju wysoko rozwiniętym, przylegam całą powierzchnią ciała do ciał innych ludzi. Słyszę bicie ich serc, szum mózgów, szmer krwiobiegów, czuję wilgoć oczu i turgor jam brzusznych ogarniętych procesami digestywnymi; monotonny ambient życia, którego jestem częścią. Wszędzie uszy, zanieczyszczone pory, plamy wątrobowe, turbany, perfumy, zęby, oddechy, flory bakteryjne, otwarte rany, włosy dzieci, plastry na odciskach, wąsy, z którymi jednam się, zespalam, skłębiam, zlepiam. Wysycenie wagonu ciałami zdaje się tak wysokie, jakby błony dzielące poszczególne jednostki mogły zwyczajnie pęknąć i pozwolić zbić się nam w jedną wielką bezgraniczną masę.

Drzwi otwierają się na Royal Barber Street i ci, co pracują tam w wielkim biurowcu Sony, próbują wyjść. Wiją się, próbują odłączyć, wyczepić — bezskutecznie! Gapię się z zażenowaniem na ich histeryczne szarpnięcia, zdjęte paniką twarze, może nawet mnie to śmieszy. Do czasu. Nagle orientuję się, że w głowie zaczynają mnożyć mi się dziwne myśli, których nigdy nie miałam, czuję nagle, jak swędzi mnie (choć „mnie" to już za dużo powiedziane) nos małej Koreanki po lewej, a w moim, a raczej: naszym żołądku przewala się wielka porcja kimchi, które zjadła przed chwilą. Tymczasem jakiś staruszek wbija w moje udo strzykawkę z insuliną ręką młodej dziewczyny z matą do jogi; ktoś z odrazą łapie się na wspominaniu jej pierwszego razu, a jeszcze inny drapie się pod naszą wspólną pachą. Moja tożsamość, moja ukochana kolekcja bzdur, tak skwapliwie poskładana ze wspomnień, myśli, śmieci, gustów, obsesji, przykrości zostaje wchłonięta, zassana, rozproszona. Rozpierzcha się, rozpełza, rozpływa w oceanie innych...

Ernest patrzy na mnie z konfuzją, gdy to mówię.

Ale niech mnie, „Ścisk w publicznych środkach transportu a metafizyczny lęk przed byciem inkorporowanym przez wielką ludzką grudę" — to moja prelekcja, z którą będę jeździć po całych Stanach, jeśli nie pójdzie mi z tą książką. Będę wywoływać nieskończone dyskusje i gratulacje i jeść śniadania w hotelach, które uwielbiam, a na koniec otrzymam Nagrodę im. Jerzego Kosińskiego dla najlepszego niewygłoszonego nigdy w Stanach wykładu.

Odciągnęłam zasłony i spojrzałam w dół, na ulicę. Ta ogolona na łyso, którą spotkałam na klatce, łapała taksówkę. Farah w czapce — z tym baniakiem w ręku — co u licha wyczyniały z tym cloroxem?, to jakiś performance? — na brzegu chodnika, chwiejąca się na krawężniku jak nad przepaścią.

Rozdział 25

— Poczekaj tu na mnie — powiedziała Go, wpychając Farah swój dobytek. Po czym gdzieś przepadła.

Farah najpierw wpatrywała się w solniczkę. Potem wyjmowała wszystkie po kolei serwetki z serwetnika, darła na równe kwadraty, a każdy z nich zwijała we wrzecionko i układała naprzemiennie z okruchami na kształt słoneczka wokół tłustej plamy na obrusie.

— Tracy, to ty? — krzyknął ktoś. To był ten brodaty z Lizard's Stomach. — Nie poznałbym cię!

Uśmiechnął się szeroko. W tym kontekście wydał jej się taki poczciwy, znajomy, niemalże bliski.

— To należy do Go — krzyknęła przez ogólny harmider, gdy jego spojrzenie na dłuższą chwilę zawisło na trzymanej przez nią butli wybielacza.

— Przynieść ci coś do picia? — spytał. I odszedł, zapomniawszy poczekać na odpowiedź.

Tania's to ten jugosłowiański bar na Patrick's. W dobrym tonie jest ekscytować się tamtejszymi porożami, boazerią, whisky zalatującą paliwem lotniczym i śmiesznymi żyrandolami, w których rzężą najtańsze żarówki. TO TAKIE KLIMATYCZNE! Liche żółte światło nęci do szantaży i skrytobójstw, z kątów emanuje wciąż ogrom podłości, jakie rozegrały się tu, gdy sukno na stole bilardowym było jeszcze zielone i lśniące. Teraz, gdy płynące dni i zmienne koniunktury pokryły go sztywnym freskiem wymiocin i alkoholi, stoi trochę na uboczu otoczony przez mężczyzn o twarzach obrzękłych od picia. Wszyscy oni w latach wytężonej walki z trzeźwością utracili rysy twarzy, zachowując tylko najbardziej podstawowe utensylia typu nos, uszy, wąsy, zażółcone od tytoniu; godzinami ciągną między sobą alkoholowe negocjacje, nawet gdy ich meritum dawno przepadło w potokach niestworzonego, jugosłowiańskiego disco. Wpadający tu zdezorientowani seksualnie chłopcy o udach cieńszych niż moje przedramiona traktują ich jak rodzaj organicznej instalacji czy scenografii; pozbawionego szyby akwarium z wielkimi, starymi, posługującymi się mową artykułowaną (a i to nie zawsze) rybami.

Tytułowa Tania stoi za barem, rozłożysta, w kardiganie o perłowym poblasku, ze swoją piękną, wymalowaną suto twarzą świętej. Pełna monarszej godności jak internowana jugosłowiańska caryca. Jej sięgający metr w przód biust mógłby pomieścić na sobie głowy piętnastu mężczyzn szukających pobłażania i czułości, a mleko z jej piersi smakowałoby czosnkiem i burgundem, który popija spod kontuaru. Mąż Tani zaginął dwa lata temu, a jego ciała nigdy nie odnaleziono. Podobno trzyma tę budę tylko w nadziei, że wróci. Wejdzie któregoś dnia i położy rękę na jej pośladku, a ona odwróci się i szepcząc „Oleg...", wtuli twarz w jego skórzaną kurtkę, śliską od wodorostów i benzyny, w jego splątane włosy, pełne szamoczących się węgorzy.

Po upływie godziny Farah postanowiła poszukać Go.

Okazało się, że gra w piłkarzyki w drugiej części lokalu. „O kurde, to ty!" — krzyknęła na widok F.; jej oczy powleczone były już gęstym pijackim bielmem. Towarzyszyli jej dwaj niezwykle wiotcy młodzikowie o półprzymkniętych oczach i parę jeszcze innych osób. Wszyscy mieli obcisłe dżinsy, tatuaże buchające spod rękawów i fryzury w jakiś sposób przypominające fryzurę Farah tego ranka, gdy zdecydowała się nosić czapkę. „To Farah" — powiedziała Go, chcąc ją przedstawić, a może po prostu przypomnieć sobie jej imię, tak czy siak, wtedy właśnie rozgrywka nabrała rumieńców czy też padła jakaś bramka, ktoś porwał piszczącą Go i zaczął ją podrzucać, wszystkich zrobiło się nagle więcej, znacznie więcej, zaczęli krzyczeć, tłoczyć się i przepychać, i byli jeszcze bardziej stylowi i modni, zupełnie jakby odczepili się od kartek subwersywnych magazynów mody i na spadochronach swoich wydekoltowanych koszulek zrobili desant na planetę Ziemia, do Tania's. Och, proszę, nie mieli czasu zadawać się z taką Farah, zwyczajną, niestylową, składającą się z samych skaz, podobną do warzywa albo zwierzęcia, albo do dziecka jednego z drugim, albo jajecznicy, która błąkała się po suburbiach ich stylu i świetności z baniakiem wybielacza i sztucznym uśmiechem, naciągniętym do niemożliwości, trzymającym się na ostatniej nitce...

Mecz trwał w najlepsze, a ona reprezentowała w nim drużynę Powietrza. Nikt na nią już nie patrzył, uśmiech pękł jak za ciasne majtki, obnażając jej twarz wykrzywioną z niedowierzania i bólu, zdezorientowaną. Nic tu po niej, powinna odwrócić się na pięcie i po prostu pójść sobie, wsiąść w metro, wrócić do domu, do swojego życia. W końcu miała urlop; mogła pójść do... choćby spać. Albo do mallu, w końcu była połowa października, pewnie zaczęły się już bożonarodzeniowe promocje. Ale Farah nie miała siły nigdzie iść. Dokąd? Po co? Była bankrutem, banitą z krainy marzeń. Wzięła kieliszek najlepszego wina (Carlo Rossi) i moczyła w nim usta, krzywiąc się.

I wtedy niespodziewanie zaczęła się ta cała jatka.

Najpierw z ogólnego gwaru, z palimpsestu pijackich biadoleń i przechwałek wyłoniło się kilka podniesionych głosów. Jeden z nich z całą pewnością należał do Go. Przy stole do piłkarzyków trwało jakieś zamieszanie. Kłócono się o coś głośno i nawzajem uspokajano, ale substancje chemiczne w krwiobiegu oponentów ewidentnie komplikowały i jedno, i drugie.

Farah podeszła bliżej. Go kłóciła się z jednym z tych chłopaków, którego trzymał drugi, a kto tu był kim, nie sposób już stwierdzić, wszyscy troje wściekli jak psy, gotowi byli skoczyć na siebie, uwiesić się u swoich gardeł i jednocześnie nawzajem przywoływali się do rozsądku, co powodowało eskalację konfliktu.

Który dotyczył jakiegoś wujka z Jugosławii. Według Go między grającymi w bilard był jej wujek Heniek; ponoć nim zszedł na psy, był policjantem i robił świetny groszek z marchewką. Ten chłopak Chrisa, którykolwiek to z nich był, zakpił z tego czy w jakiś sposób podał to w wątpliwość, jedno jest pewne: o potencjalnym wujku Heńku dawno wszyscy zapomnieli. Pojechał z powrotem do Czech, na Białoruś czy innego stanu byłej Jugosławii, wioząc M'n'Msy dla wnucząt i dwie pary marmurkowych dżinsów dla młodszego syna, zaś konflikt, jak ogień, dawno rozprzestrzenił się na kwestie bardziej generalne.

— Pojebało ją, słowo daję — piszczał chłopak Chrisa. Na policzku miał ślady paznokci. — O co jej nie spytasz, o pogodę czy o drogę, to powie ci, że pierogi, borszcz i kapuśniak. Nie da się tego wytrzymać! I ten jej udawany akcent. Kto wreszcie powie tej idiotce, że nie jest z żadnej pieprzonej Polski?

— Miałam sąsiadkę, która była z Polski, rozumiesz? Więc trochę akurat wiem o tym akcencie — krzyczała Go. — Poza tym uważam, że to słodkie być z Polski! I gówno ci do tego.

— Jeśli coś masz, Margo, to wpływowego tatuśka — krzyknął chłopak. — I niezłą sraczkę we łbie.

To już musiało zaboleć ją do żywego. Zatoczyła tępo oczami i oblała chłopaka whisky ze szklanki. Łapiąc spazmatycznie powietrze, zaczęła wrzeszczeć, że nie powinno go to obchodzić, bo jest zazdrosny, że to nie on to wszystko wylansował. Zawiści jej, że to nie on zapoczątkował ten trend bycia z byłej Jugosławii i bezustannie próbuje ją gnoić i podważać; to jej tożsamość i gówno mu do tego; tylko ona może ustalić, kim jest, a kim nie jest, a LORES TO NAJLEPSZE PIEPRZONE SKLEPY SPOŻYWCZE W OKOLICY, to firma, która dba o swoich pracowników i nie winduje sztucznie cen, a jak jej nie wierzy, to niech porówna w D'agostini. Na koniec stwierdziła, że idzie teraz do rzeki się utopić i nikt jej już od tego nie powstrzyma, bo ostrzegała dosyć wiele razy, dosyć wiele! I jeszcze tylko jedno, jeśli prasa będzie chciała wiedzieć, kto ponosi winę za jej śmierć, to jest to wina — tu wywrzeszczała dwa nazwiska, które Farah nie do końca zrozumiała...

...bo właśnie wtedy podeszła do Go z jej rzeczami i wiadomym baniakiem i...

Ale Go popchnęła ją na stół do piłkarzyków.

— Zostaw mnie, pieprzona psychopatko!

Przy czym zdarła Fah czapkę, obnażając jej pokiereszowaną czaszkę.

— No i co teraz? — powiedziała i wykonała przy tym popularny gest kręcenia korbką przy skroni.

A potem, łomocząc swoimi Louboutinami, wybiegła w pachnący rzeką i żelastwem wieczór.

Rozdział 26

PSYCHOPATKO!

Farah szlochała, niczym nie mogła się uspokoić, nie chciała się uspokajać, nie miała po co. Nienawidziła siebie, nienawidziła jej z całych sił! Jak Go mogła ją tak upokorzyć, jak mogła zwrócić się przeciwko niej, choć chwilę wcześniej sama mówiła, że nie ma nikogo innego! Jak mogła wziąć jej nagie serce i spuścić w kiblu, jeszcze ciepłe, bijące! Mogła ją wcześniej zabić, tak, zabić, jeśli miała zamiar tak zrobić. Och, jak to bolało, nie mogła oddychać, dusiła się, chciała nie istnieć! Kot, czy ze współczucia, czy też po prostu z głodu, wydawał z siebie monotonne żałosne miauknięcia, aż można było mieć wrażenie, że przedrzeźnia jej zawodzenie, kpi z niej, mrużąc znudzone oczy.

Wtedy Farah odkryła na poduszce sporą mokrą plamę, która bynajmniej nie pachniała łzami.

— Ty świnio — wycedziła przez zęby. — Ty wstrętne małe zarobaczone gówno.

Rozdział 27

„Córka wpływowego przedsiębiorcy branży spożywczej, angażującego się też coraz bardziej w kwestie polityczne Matthew Loresa, dwudziestoczteroletnia Margo Lee, została wczorajszej nocy zatrzymana przez policję. Z niedozwoloną prędkością prowadziła ciężarówkę na miejskiej obwodnicy, mimo kompletnego pijaństwa i bez ważnego prawa jazdy. Samochód był kradziony.

Margo Lee to najmłodsza córka Matthew Loresa, który najprawdopodobniej wystartuje w przyszłym roku w wyborach na burmistrza. Jego starsza córka Mary Ann Charlotte jest wziętą adwokatką, a syn Robert prowadzi popularną agencję turtystyczną. Czy ekscesy najmłodszej panny Lores zaszkodzą tacie w nabierającej rumieńców karierze?"

— Kto by pomyślał; Lores to dobra sieć! — powiedziała Joanne, odsuwając miseczki kostiumu, by sprawdzić opaleniznę. — Właściwie to tam zawsze robię zakupy.

Wiadomości się skończyły.

— Moim zdaniem nie ma lepszych spożywczaków. D'agostini się nie umywa; może ma większy asortyment, ale jest znacznie droższy! Daimsy, te małe, za niemal cztery dolce, czy nie myślisz, że trochę przesada? — powiedziała, wyłączając radio, bo akurat niefortunnie natrafili na to, dopadające człowieka wszędzie, „Krany na Tip-tap".

— A tak à propos: śniła mi się Farah — powiedział hungarysta.

— Mi się nic dziś nie śniło.

— Coś wciągnęło mnie pod wodę i wtedy zobaczyłem ją: była jakby syreną czy czymś...

— Chore.

— Muszę sprawdzić w senniku, co to znaczy.

— Powiedzieć ci, co to znaczy?

— No?

— Że twoja podświadomość chciała pogapić się jej na cycki. Kto pierwszy do wody!

Rozdział 28

Farah leżała na dnie wśród śmieci i starych gazet, bezwładna i pusta, oglądając swoje podrapane przez kota dłonie. Nagle jakaś sprytna, zimna rączka schwyciła jej nadgarstek. Była to ta syrena, ta, co swojego czasu pokazywała jej odpływ. Dół od pidżamy, który wycyganiła od Fah, miała naciągnięty na głowę jak welon, nogawki wisiały jej po bokach błękitnawej twarzy na kształt uszu, a jej oczy były odpowiednio wesołe i kłamliwe:

— Hej, głowa do góry! — powiedziała swoim zawadiacko ochrypłym głosem. — Każdy wie, że ci uchodźcy z byłej Jugosławii są ostro rąbnięci w czapki!
Farah spojrzała na nią pogardliwie i usiadła, otrzepując się ze strzępów jakiejś starej tapety.

— Pamiętam jednego takiego, co się nawalił i położył w łódce, i przykryła go woda. Podpływam, a on: hej, ślicznotko, napij no się ze mną, mam tu jeszcze trochę wódzi, gadka szmatka. Pijemy, pijemy i mówię jemu:

„Polska to najpiękniejszy kraj, jaki kiedykolwiek widziałam"; choć właściwie nigdy tam nie byłam, ale byłam już ostro wcięta i chciałam sprawić mu przyjemność. „Pola pełne maków, ludzie zachłanni, ale serdeczni, całują chleb, gdy upadnie".

— Co ty wiesz — ryknął ten Jugosłowianin — to najgorszy śmierdzący padół łez na tej kuli ziemskiej.

Na to ja, bo chciałam być miła i zgodna: No rzeczywiście, śmierdzi tam nieludzko. Na co on: śmierdzi ci? Ty mała kurwo!

Jedno szczęście, że był martwy, bo chciał udusić mnie kiszonym ogórkiem!

Farah nic nie odpowiedziała. Jej serce było tak puste, że miała wrażenie, że nie żyje.

— Znalazłyśmy nurka w rafie — powiedziała niby nigdy nic syrena — i dziewczyny mają ochotę potańczyć. Mamy tamburyn i prawdziwe sukienki do samby, może wpadniesz?

Popłynęła swoim pokracznym sposobem, zginając ogon tylko w jedną stronę i łopocząc nogawkami pidżamy. Farah, nie wiedzieć czemu, popłynęła za nią. Może skusił ją fosforyzujący turkus wody, omamiły rozedrgane, pajęcze nici światła słonecznego i worki foliowe nadymające się majestatycznie jak meduzy; a może płynęła byle płynąć, stracić siły, czucie, dech...

Zeszły niżej, tam gdzie było już ciemno. Zaraz pojawiły się inne syreny o rzadkich zębach i zapryszczonych twarzach: usiłowały postawić nurka do pionu, ale raz po raz uginał im się pod ciężarem akwalungu i z radością powitały szansę na nową rozrywkę.

Zaraz otoczyły Farah ciasnym kołem, by ją powitać, pobawić się z nią, zalotne, skore do żartów. Łaskotały ją, chichocząc metalicznie. Może zresztą miały wcale dobre zamiary.

— Myju, myju! — krzyczały, udając, że szorują ją jak dziecko kawałem starej zmiotki i zaśmiewając się do łez. — Chlapu, chlapu! — ale zabawa mimo to była coraz mniej wesoła.

Jak to bywa, rosnące napięcie, dyskomfort, wreszcie przestrach i całkiem otwarty opór ofiary zawsze w takich razach potęgują przekorę i złośliwość i nieraz niewinną zabawę potrafią zmienić w przeciągającą się ponurą egzekucję, której okrucieństwem zdumiony jest potem nawet sam oprawca. Nim się obejrzała, jej ciało obłapiały dziesiątki chłodnych, ruchliwych jak robaki dłoni; wszystko wirowało prędzej i prędzej, wszędzie widziała ich twarze, błękitne, rozmoczone, niemal płaskie, pozbawione wypustek, wymyte z rysów, oblepione wodorostami, brudne, chore, straszne...

— Niech one mnie zostawią! — krzyczała Farah.

— Och przestań, po prostu cieszą się, że przyszłaś — odkrzyknęła tamta, z daleka, z bardzo daleka. — Zostawiam cię z nimi, muszę pomóc mojej siostrze: złożyła właśnie jaja.

Syreny wśród małpich pisków biły się tymczasem między sobą o wyrwane jej rzeczy. Jedna uciekała już gdzieś co sił w jej czapce, inne szarpały się za włosy o jeden z jej butów i były z tego powodu niemal łyse. Tymczasem któraś wytrzasnęła skądś rolkę lasotaśmy; wśród pisków i zawodzeń schwyciły Farah lodowatymi dłońmi za nogi, związując je ze sobą i omotując je miejsce przy miejscu streczem. Do jej stóp sobie znanym sposobem dokleiły płytę elektrycznego grilla, tak że od biedy wyglądała jak ogon. Zostawiły jej tylko zszarzały stanik z H'n'Mu, a dla kpiny nałożyły na głowę koronę z mosiężnej kratki od piecyka. Próbowała wołać na pomoc: widziała starą syrenę-inwalidkę, która przyglądała się tej kaźni ze stoickim spokojem, prawdopodobnie nic nie widząc i dłubiąc złamaną bierką w zębach: warkocz z włosów F., gęsty i lśniący, miała przymocowany na czubku siwej głowy infantylną spinką...

Chciała krzyczeć, ale tylko krztusiła się i wiotczała w ich rękach coraz słabsza i bardziej bezwolna.

RATATATATATA!

Strzały rozległy się nagle, niespodziewanie, nie wiadomo skąd.

Rozdział 29

Albert walił pięścią w drzwi. Wcześniej dzwonił, ale nie otwierała. Wiedział, że jest; zawsze była. Słyszał, jak podchodzi na palcach do drzwi.

— Otwórz! — powiedział.

— Po co przylazłeś?! — krzyknęła.

— Muszę ci coś opowiedzieć.

— Idź stąd — powiedziała ochryple.

Chciał jej tylko opowiedzieć, co mu się śniło, musiał. Parę dni temu lekarz włączył mu vaxylan, podobny zresztą do xavylanu 20 mg, po którym w jego głowie, gdy tylko zamknął oczy, roiło się od upiornie realnych, wysyconych barwami obrazów. I nieważne, ale wczoraj obudził się w nocy na swojej poplamionej sosem cesarskim kanapie z Ikei, przytulony do niedopitej butelki coli, jednak gdy próbował namacać stopą zasypany okruchami chipsów parkiet, zrozumiał, że wszędzie wokół jest jakby ocean. Vaxylan opóźnia nieco czas reakcji i wpędza człowieka w tę specyficzną niebłyskotliwość, matowy półletarg, więc gapił się na to wszystko nieco zaskoczony, gdy nagle pod wodą zobaczył jakąś szamotaninę.

Widział to pod sobą jak zalane szkłem, w zwolnionym tempie: Farah, bezwłosa, w bieliźnie, jak kukła unoszona gdzieś przez szczerbate, wściekłe, doskonale zanimowane syreny. Były ohydne, odrażające, o błękitnawej skórze, przez którą prześwitywały żyły i dziwaczne, niepodobne do ludzkich narządy. Jakość grafiki, realizm obrazów był tak wysoki, że zrobiło mu się niedobrze. Nie umiał pływać i wahał się chwilę, ale ostatecznie wetknął kontroler PlayStation za gumkę bokserek, chwycił karton po Domino's pizza i używając go jako deski do pływania — znał ten trick ze szkolnej pływalni — runął między szamoczące się potwory i zaczął strzelać.

RATATATATA!

Kilka z pewnością udało mu się od razu rozwalić, widział ich ospowate, chorobliwe twarze rozbryzgujące się na krwawe piksele; różowawą juchę buchającą z bezzębnych ust. Wiotko opadały ku dnu, ciągnąc za sobą cyklamenowe wstążeczki krwi, podczas gdy reszta umykała wśród wrzasków i kwików, łopocząc wyłysiałymi ogonami, by ukryć się w załogach koszy plażowych i pogruchotanych jachtów. Dziesiątki ich głupich, zwierzęco czujnych oczu śledziły go teraz, migocząc jak garść rzuconych w śmieci fałszywych diamentów. Wsadził kontroler z powrotem za gumkę bokserek i pomyślał, że stopień gore'u jest wysoki nawet dla niego; zostawanie tu długo nie wróży dobrze; złapał Farah za rękę i pociągnął ku górze.

Była podrapana i nieprzytomna, ale ocknąwszy się, zaraz płynęła szybciej od niego, sprawnie posługując się swoim ogonem. Byli teraz bliżej brzegu, gdzie woda była jaśniejsza, czystsza, environmenty pastelowe, niemal ładne; otoczyły ich wielkookie srebrne sardyny, osowiałe halibuty, ławice migocących opakowań od czekolad i skóry od pomarańczy. Musieli mijać jakieś kąpielisko, widział nogi kąpiących się ludzi i dla żartu połaskotał nawet kilka szczególnie ładnych w stopy. Nagle Farah zatrzymała się i przyglądała pływającym ludziom, jakby wahała się jeszcze, ale czegoś nie mogła sobie odmówić.

— Poczekaj chwilę — powiedziała. Niedaleko nich w wodzie wisiał tyłek upakowany ciasno w majtki ze SpongeBobem i doczepione do niego zbyt cienkie nogi z namalowanym na całej długości szwem; obok nich majtały czarno opierzone, chude kulasy jakiegoś faceta. Farah, podpłynąwszy, pociągnęła za nie wszystkie gwałtownie, aż dwie sylwetki, żałośnie się szamocząc, wpadły pod powierzchnię, wydając fontanny histerycznych banieczek. Albert zapamiętał tylko włosy tej kobiety, które pod wodą wybuchły jak bomba, dziwnego koloru, jakby sztucznych kasztanów.

Och, tak cholernie chciał jej to wszystko teraz opowiedzieć, dlaczego nie mogła otworzyć?

Wreszcie usłyszał chrobot otwieranego zamka.

— WYNOŚ SIĘ — powiedziała Farah spokojnie, zimno. Trzymała żel antybakteryjny, jej ręce były podrapane aż po łokcie.

Rozdział 30

Spotkałam go w windzie, wyglądał jak zbity pies. W koszulce i bokserkach, z keczupem w kąciku ust, musiał wyjść z domu w wielkim pośpiechu; jego włosy tworzyły na boku głowy kłębek o secesyjnej zawiłości, za gumką majtek miał kontroler PlayStation. Przygnębiony, zapomniał wcisnąć swój guzik i zjechał ze mną na parter.

Poranek był pochmurny i dlatego zdziwił mnie ten widok: niemalże na środku ulicy leżał kot z białym kołnierzykiem, zupełnie nieruchomo. Weszłam z powrotem do klatki, poszłam do domu i choć Ernest patrzył na mnie z głębokim powątpiewaniem, usiadłam do komputera.

Na ulicy przed domem leżał kot z białym kołnierzykiem — napisałam wtedy — ni to grzejąc się w słońcu, ni to raczej jednak nie żyjąc, wnosząc z faktu, że nie było słońca ani żadnych innych przyczyn, by leżeć wśród pędzących samochodów.

W końcu przyjedzie jakiś patrol i go zabierze — pomyślała Farah i poprawiając dół od pidżamy, który wpijał jej się w pachwinę, wróciła do lektury.

KONIEC

Projekt okładki
Marcin Nowak

Korekta
Beata Wyrzykowska
Janina Zgrzembska

Zamówienia prosimy kierować:
– telefonicznie: 800 42 10 40 (linia bezpłatna)
– faksem: 12 430 00 96 (czynnym całą dobę)
– e-mailem: nsb@wl.net.pl
– księgarnia internetowa: www.noirsurblanc.pl

Printed in Poland
Oficyna Literacka Noir sur Blanc Sp. z o.o., 2012
ul. Frascati 18, 00-483 Warszawa

Skład i łamanie
PLUS 2 Witold Kuśmierczyk
Druk i oprawa
Zakład Graficzny Colonel, spółka akcyjna